HANGJIA
DAINIXUAN

行家带你选

黑瓷白瓷

姚江波 ／ 著

中国林业出版社

图书在版编目(CIP)数据

　　黑瓷白瓷／姚江波著．－北京：中国林业出版社，2019.1
　　（行家带你选）
　　ISBN 978-7-5038-9887-7

　　Ⅰ.①黑…　Ⅱ.①姚…　Ⅲ.①黑瓷（考古）-鉴定-中国②白瓷
（考古）-鉴定-中国Ⅳ.① K876.34

　　中国版本图书馆 CIP 数据核字(2018)第 279270 号

策划编辑　徐小英
责任编辑　梁翔云　刘香瑞
美术编辑　赵　芳　刘媚娜

出　　版　中国林业出版社(100009 北京西城区刘海胡同 7 号)
　　　　　http://lycb.forestry.gov.cn
　　　　　E-mail:forestbook@163.com；
　　　　　电话：(010)83143515
发　　行　中国林业出版社
设计制作　北京捷艺轩彩印制版技术有限公司
印　　刷　北京中科印刷有限公司
版　　次　2019 年 1 月第 1 版
印　　次　2019 年 1 月第 1 次
开　　本　185mm×245mm
印　　张　12
字　　数　203 千字（插图约 490 幅）
定　　价　75.00 元

残缺瓷盘·宋代

白瓷瓜棱罐·唐代

白瓷碗·五代

白瓷碗·宋代

◎ 前 言

　　中国古代黑瓷在东汉时期就已经产生。关于黑瓷的烧造，我们来看一段资料："黑瓷与青釉都是以铁为主要着色剂，生产工艺基本相同，其区别仅在于釉料中氧化铁的含量。含量在 3% 以下的烧成青瓷，在 4% ~ 9% 以上的就可烧出黑瓷……东汉中叶以后，随着烧瓷技术的进步，对窑炉气氛的控制与釉层呈色关系认识的提高，中国古代青瓷、黑瓷同时烧成了"（冯先铭，1994）。由此可见，中国古代黑瓷与青瓷是一对同胞兄弟，它们来自同一个时代和故乡。

　　中国古代黑瓷产生以后，主要以青瓷窑场的搭烧为主，作为青釉瓷器的副产品存在，直到德清窑时期才出现了专一烧造黑瓷的窑场。东汉的黑瓷还带有一定的原始性，销售对象主要是针对一些较为贫穷的人，在地域上以南方地区为主。北方地区对于黑瓷的烧造实际上北齐时期已经开始出现，至唐五代时期烧制重心由南方转向北方。山东淄博窑，陕西铜川窑，河南巩县窑、密县窑等都烧制出了精美绝伦的黑瓷。宋元时期中国古代黑瓷继续发展，在质量上有了较大提高，出现了著名的以烧造黑瓷窑变釉为主的建窑和吉州窑等。兔毫釉、油滴天目、木叶贴花、剪纸贴花等，犹如灿烂星河，流光溢彩。另外，宋代五大名窑之一的定窑也烧造出了漆黑发亮的黑瓷，被人们称之为黑定，在釉色上达到了黑瓷烧造的巅峰，几无缺陷。但宋代这些精美绝伦的黑瓷数量很少，造型主要以盏为主，显然功能多为茶具，目的是迎合由宋代斗茶之风而引起的对精致茶具的追逐。可见，宋元精致化黑瓷的出现并未改变黑瓷主要作为日常生活用具的本质属性。大多数黑瓷还在承担着人们日常生活当中用具的功能。明清时期，中国古代黑瓷逐渐被青花瓷挤出主流瓷器市场，旋即衰落，但在明清时期的广大农村依然还有生产，只是在精致程度上再无精品可言。直至今日，黑瓷的生产依然窑火不熄。

　　白瓷的产生比黑瓷要晚得多，北朝时期已经有见白釉瓷器的生产，但烧造显然不是很成熟。经过漫长的酝酿过程，直到隋代，真正意义上的白釉瓷器才得以烧造成功。白釉瓷器的烧造成功在陶瓷史上具有划时代的意义，它为以后的青花瓷和颜色釉瓷器的烧造奠定了基础。白瓷一经烧制成功就受到了人们的青睐。入唐后很短的时间内，就在唐代强大物质文化基础的支撑下迅速达致巅峰状

精致黑瓷瓶·宋代

态，形成著名的以烧造白釉瓷器为主的邢窑。邢窑白瓷精益求精，精美绝伦，是盛唐社会物质文化极度发达的象征。李肇《国史礼》述："内丘白釉瓷器瓯，端溪紫石砚，天下无贵贱通用之。"邢窑白瓷很快在北方地区占据了主流地位，与南方地区的越窑青瓷形成了"南青北白"的瓷业格局。不过邢窑白瓷过于精致、不计工本的烧造并没有持续很久，在唐五代时期随着盛唐物质文化的衰落，邢窑白釉瓷器也难以维系，并迅速衰落，至北宋时期已被定窑所取代。定窑白釉瓷器对邢窑白釉瓷器进行了革新，将胎壁变薄，釉层向稀薄发展，有效降低了成本，定窑白釉瓷器还抛弃了对邢窑白釉瓷器精致、普通、粗糙的瓷器分级，在质量上统一进行提高，烧制出了精美绝伦的白釉瓷器。元代定窑白釉瓷器延续宋代，明清时期亦有生产，但定窑白釉瓷器由于受到青花瓷的排挤显然已经衰落。在一些乡村窑场发现的明清时期的白釉瓷器，非常的粗制，可见白釉瓷器至明清时期已经十分黯淡。

中国古代黑釉和白釉瓷器在历史上承担着人们日常生活用具的功能，产生了无与伦比的造型，在数量上可谓规模巨大。遗留到现在，黑、白瓷也是数量众多，是历代众多收藏家追求的目标。但在暴利的驱使下，作伪的黑、白瓷也是不断涌现，各大名窑都有仿制。特别是20世纪80年代以后，随着收藏热的兴起，作伪的黑、白瓷器数量特别多，可以说已经和完好无损的古代黑、白瓷数量相当，大量充斥着市场，一时间使得黑、白瓷器真假难辨。而本书认为，唯有从器物本身出发，来分析古瓷器的造型、胎体、纹饰、釉色、口部、唇部、沿部、腹部、底部、足部等诸多特征，才能不断地剥离出鉴定要点，从而达到断时代、辨真伪、评价值的目的。进而将一个浩瀚的黑、白釉瓷器史以浓缩的形式呈现给读者。通过一个个具体的实例拨云见日，使大大小小的鉴定依据环环相扣。以上是本书所要坚持的。但一种信念再强烈，也不免会有缺陷，希望不妥之处，大家给予无私的批评和帮助。

姚江波

2018 年 12 月

◎ 目 录

黑定盏·宋代

兔毫釉盏·宋代

雪白釉白瓷碗·唐代

残缺不全黑瓷碗·明代

黑瓷碗·明代

定窑白瓷碗·宋代

黑瓷罐·宋代

第一章　黑　瓷

第一节　综　述

一、数　量

　　黑瓷，是中国古代最主要的日用瓷（图1-1），墓葬和遗址内大量有见，总量比较大。从窑口上看，中国古代黑瓷以德清窑为著名，受到德清窑影响的古代黑瓷在历史上最为常见。从时代上看，东汉六朝、唐宋、元明清时期都常见，没有过于规律性的特征。

图1-1　黑瓷瓶·辽代

图1-2　完好无损的黑瓷双系罐·明代

图1-3　残缺不全的黑瓷碗·明代

二、品　相

　　中国古代黑瓷在品相上表现出来的是参差不齐，既有完好无损、精美绝伦之器（图1-2），更有残缺不全者（图1-3）。

　　从数量上看，精致瓷器多以墓葬出土为主。一般情况下，东汉六朝时期人们都愿意将一些比较精致的黑瓷下葬，通常情况下为实用器下葬。在当时，由于是实用器，所以磕碰的情况，如口磕、足磕、腹部有擦痕等都常见（图1-4、图1-5）。这些磕碰多为老茬，新茬很少见。而新茬一旦有见，显然是一种残缺，人们必然对它的要求很苛刻。古玩界的老话"瓷器发毛分文不值"显然就是这些磕碰瓷器最终的归宿。从数量上看，品相完好的精致瓷器与整个黑瓷的总量相比，非常少（图1-6）。因此，我们在收藏时应以精品和品相好的瓷器为主。因为这些瓷器数量已经非常少了，符合"物以稀为贵"的价值规律，必然具有保值和很高的升值潜力。

图1-4　黑瓷瓶·五代

图1-5　口部有磕的黑瓷瓶·宋代

图1-6　品相极优的黑瓷双系罐·唐代

图 1-7 实用与装饰功能兼具的黑瓷酒瓶·宋代

三、功 能

中国古代黑瓷在功能上主要以实用为主，兼具有装饰的功能（图 1-7）。这与黑瓷主要作为人们日常生活当中的用具有关，如餐具，特别是盛储器的功能等。也正是由于用途的普通，从而决定了黑瓷在造型上的简洁性。黑瓷上纹饰比较少见。由于其成本的低廉，黑瓷的产量很大，而产量越大显然成本越低，形成了良性循环。另外，如兔毫盏在造型上犹如斗笠形（图 1-8），再加之大撇口，以及对视觉所造成的冲击力，从而使黑瓷在功能上表现出以装饰为先导，兼具实用性的功能。但建窑黑釉茶盏在整个中国古代黑瓷中所占比例也很小（图 1-9）。

图 1-8 兔毫釉黑瓷斗笠盏·宋代

图 1-9 建窑兔毫釉茶盏·宋代

四、窑　口

中国古代黑瓷在东汉晚期创烧成功，但在当时并没有形成专一烧制黑瓷的窑场。黑瓷主要是作为青瓷器的副产品存在，销售给一些比较穷的人。直到六朝时期才出现了著名的德清窑（图1-10）。当然，德清窑也是在当时林立的青瓷窑场当中被迫选择黑瓷作为其主打产品的。黑瓷在烧造上非常成功，色彩纯黑或者漆黑，主要烧造人们日常生活中的实用器皿。德清窑黑瓷在六朝时期更为繁荣，器物造型十分丰富。常见的造型主要有碗、碟、盏、罐、壶、盆、钵、盘、尊、耳杯、熏炉、灯盏、唾壶、砚台、鸡首壶、盒等（图1-11）。

图1-12　黑瓷罐·唐代

图1-10　德清窑黑瓷壶·唐仿六朝

图1-13 小口黑瓷瓶·明代

这些造型反应了当时人们在生活中的点点滴滴。隋唐五代时期，烧造黑瓷多为搭烧（图1-12），只有少数窑场例外。如宋代建窑和吉州窑主要烧造以茶具为主的特种黑瓷，包括兔毫釉、油滴天目、木叶贴花、剪纸贴花等。同时定窑也烧造出了精美绝伦的黑釉茶盏，人们称其为黑定。明清时期，由于青花瓷的兴起，将传统的青瓷、黑瓷、白瓷等均排挤出了主流市场。此时的黑瓷主要转向了偏远的农村。烧造黑瓷的窑场逐渐被边缘化（图1-13），进而消失，或者不再搭烧黑瓷。

图1-11 德清窑黑瓷执壶·宋仿六朝

第二节　黑釉茶具

　　黑瓷与茶具之间的关系密切。黑瓷在历史上主要承担着茶具和引领茶具发展的功能。如著名的建窑生产黑瓷兔毫（图1-14）、油滴天目釉盏（图1-15）、木叶贴花、剪纸贴花盏等，犹如群星璀璨，照耀着历史的天空。但黑瓷对于茶具功能的担当不仅仅是在宋元时期，而是从其一开始就出现了。对于东汉晚期的黑瓷，很多人听起来很新鲜，好像东汉晚期没有过黑瓷器一样。其实，中国古代黑瓷器在东汉晚期已经产生了。但是东汉晚期的黑瓷器流传至今的很少，这是由于当时黑瓷烧制的时间很短所致。《古瓷标本》（姚江波，2002）一书中对东汉晚期中国古代黑瓷进行了详细的表述："'1972年到1977年，曾在浙江上虞账子山瓷窑发现烧制中国古代黑瓷器皿'。时间是在东汉时期。中国古代黑瓷和青瓷同时产生，是一对同胞兄弟，由此可见，在东汉晚期中国就应该有了中国古代黑瓷茶具。"

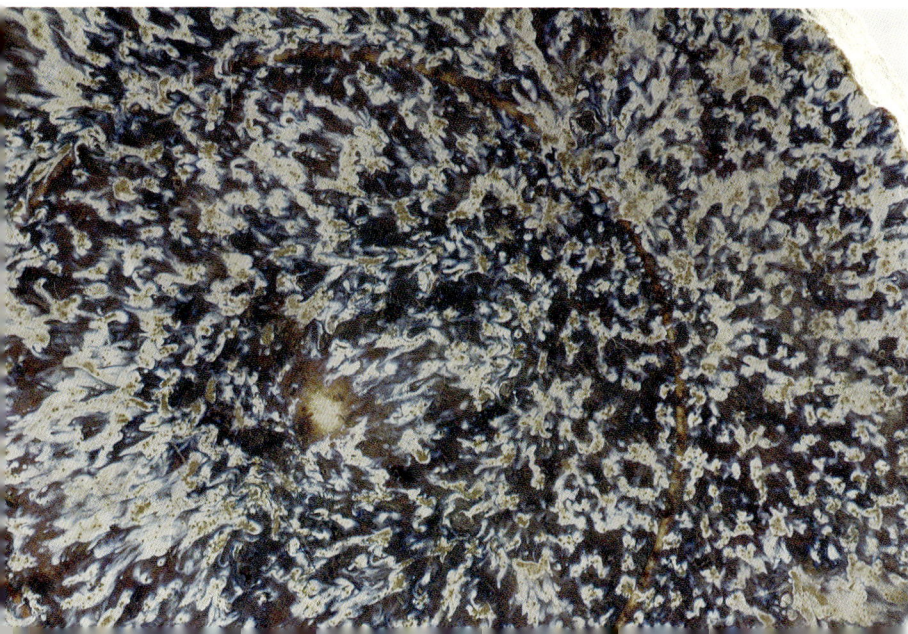

图1-14　发色不是很纯正的建窑兔毫盏标本·元代

图 1-15 建窑油滴天目釉盏·宋代

图 1-16 青瓷盒·唐代

　　中国古代黑瓷产生以后，各大窑场都有生产，但主要还是以青瓷为主（图 1-16），只有少数窑场专一生产黑瓷，如德清窑。东汉黑瓷的造型主要有碗、钟、壶、罐等，根据用途的不同，有粗细之分。如碗的质量就好一些，大型容器则做得差，施釉不到底，有流釉现象。这些情况可能与当时黑瓷所处副产品的地位有关系。但黑瓷自产生以来，其发展速度非常快，在社会上广为流传。至六朝时期，黑瓷的发展已成规模。

　　《古瓷标本》一书对六朝时期黑瓷之所以能够大发展的原因进行了解释："东汉的中国古代黑瓷还带有一定的原始性，进入六朝后继续发展，由于它是烧制中国古代青瓷器的一种副产品，所以大多数窑场都烧制。但六朝是中国古代青瓷的时代，越、婺、瓯都是以烧制青瓷而著称。中国古代黑瓷的销售对象可能是针对一些较为贫困的人，试着看一个主要烧制中国古代青瓷的窑场，其中国古代黑瓷的质量是不会被人们所看重的。但现实中又有一部分人认为中国古代黑瓷的价格较低，而且和中国古代青瓷一样实用，再者一些大型的器具使用中国古代黑瓷正好，没有必要用价格昂贵的中国古代青瓷器。于是客观上需要有专门烧制中国古代黑瓷的窑场出现。事实上也是这样的，一个专门以烧制中国古代黑瓷的窑场德清窑出现了。"

图1-17 德清窑风格黑釉瓷碗·宋代

图1-18 德清窑风格黑瓷罐·唐代

而德清窑烧制的瓷器究竟是什么样的呢？《中国陶瓷》（冯先铭，1994）述："1974年，余杭县大陆果园与馒头山又发现了德清瓷窑址两处，产品种类、风格、年代与德清窑县城周围的窑址相同……生产的瓷器有盘、壶、罐、盆、钵、盒等，造型简朴，注重实用……碗碟等大小配套，不同径的碗达十余种之多……釉有青釉和黑釉两种……黑釉釉层丰厚，呈黑色或黑棕色。"看来，德清窑烧制的瓷器，碗所占的比重依然很大（图1-17），多为成套生产，或许这也是成套器皿生产的先河，可见黑釉瓷碗的繁盛。德清窑的瓷碗造型，多仿同时期的青瓷碗，因为，青釉碗在当时毕竟是正统，独领风骚于历史的舞台之上。这就是六朝时期的黑瓷，一个以实用器皿为主的瓷器品种，一个老百姓真正在使用的品种。当然，在六朝时期，北朝的许多窑场也在生产黑瓷，而且生产的数量和质量应该超过南方地区。这其中有个原因，我们很容易想象到，因为在南方地区由于越窑的存在，人们有一个概念，就是青釉瓷器才是真正意义上的瓷器，而黑瓷不过是青釉瓷生产过程中的一种附属品。所以，南方地区对于黑瓷的烧制不是很认真，在质量上也比较粗糙。但是，北方地区的人们显然没有这种概念，或者说是这种概念较为弱化。人们认为，无论是黑瓷还是青瓷，都是上好瓷器的一种，黑瓷使用起来同样实用。所以，在北朝地区，人们除了使用青瓷器外，还大量地使用白瓷和黑瓷。

由上可知，六朝时期的黑瓷多为较贫穷的人使用，而且销量也不小（图1-18），所以，黑瓷茶具流行的阶层应该多在下层社会，但使用的频率比较高。六朝时期的墓葬当中很少发现随葬的黑瓷，这就说明，在六朝时期黑瓷应是人们日常生活中最常用的实用器，以至于很少用来随葬。在造型上，估计黑釉茶具和当时的中国古代青釉瓷器茶具应该相距不远，故在此我们就不再赘述了。下面我们从时代上来具体看一下：

一、东汉六朝

东汉的黑瓷还带有一定的原始性。进入六朝后继续发展，由于它是烧制青釉瓷器的一种副产品，所以大多数窑场都烧制。但六朝是青瓷的时代，诸多窑场都是以烧制青瓷而著称，黑瓷的销售对象可能是针对一些较为贫困的人，试着看一个主要烧制中国古代青釉瓷器的窑场，其黑瓷的质量是不会被人们所看重。但黑瓷由于实用功能的存在，加之成本低廉，专一烧制黑瓷的窑场——德清窑还是出现了，并取得了成功，特别是在六朝时期，德清窑产品从造型、釉质以及精致程度等诸多方面都取得了成功，在数量上也比较客观，开东汉六朝时期黑瓷之先河。

二、隋　代

隋代，黑釉茶具常见。我们来看一则内蒙古遗址发掘的实例："器碗。标本H7:1，敞口，尖圆唇，浅弧腹，假圈足。器里及器表施半釉，器表下半及假圈足露胎。釉色青灰，厚重，欠光泽，胎骨灰褐，较细。口径14、底径6.8、通高3.6厘米"（内蒙古文物考古研究所，1990）。由此可见，这件较矮的黑瓷茶碗与真正意义上的饭碗已有所不同，口部变大，通高降低，唯一与宋代黑釉茶盏不同的是还没有变成斗笠形。可见，真正意义上专有的茶具在隋代已经开始萌生。我们再来看一件安阳戚家庄隋唐遗址发掘的实例，"瓷杯1件（Y1:4），残，直口圆唇，上腹壁近直，下腹外鼓，斜下内收，实足，底微上鼓，青灰色胎，内外全施棕色釉。口径12.4厘米，足径6.8厘米，足高0.7厘米，通高7.6厘米"（安阳市文物工作队，1997）。杯造型的历史十分悠久，早在新石器时代的红陶和灰陶当中已经有成熟造型的杯子，而从这件黑瓷杯我们可以看到，为了适应茶具的需要，口部比较大，这样便于散热，其他部位的特征基本与我们当代相似。可见黑瓷杯在隋代茶具当中承担着重要的角色。鉴定时应注意分辨。

三、唐 代

唐代饮茶之风日盛，人们不仅注重茶叶本身的色、香、味形的优美，而且还配备了实用、艺术性极高、品种丰富的茶具。据唐代陆羽的《茶经》所述，广义的茶具是包括贮茶、碾茶、炙茶、调茶、饮茶等过程的器具 20 余种（图 1-19）。质地种类分为陶器、瓷器、铜器、金器、银器、玉器、玛瑙、漆器等等，种类繁多。

我们来看一则郑州上街铝厂唐墓发掘的实例："黑釉碗 A 型，黑釉深腹碗，1 件 (M1:6)。直口圆唇，直腹微弧，底略内凹。上半身施黑釉口部露胎，灰白胎。通高 11.8 厘米、口径 19.8 厘米、底径 10.5 厘米"（郑州市文物考古研究所，上街区文化馆，1997）。另外，还有一些底部写有"道"字的碗，"道"字与茶道的"道"是否有关？我们不得而知。但是从尺寸比例上看，这些碗在唐代或许就做过茶碗。因为，唐代的黑瓷碗数量众多，主要流行于南方地区，在中唐以后的北方地区也极为流行。所以，这些黑瓷碗很有可能比所谓专有茶具"盏"使用的频率还要高（图 1-20）。我们再来看一件登封市法王寺二号塔地宫发掘的黑釉注子："黑釉注子 1 件。标本 D2:18，由盖和器身组成。盖面隆起，宝顶形钮，盖沿下折。器身侈口，圆唇，束颈，广肩，鼓腹，饼形足，肩部有一执耳，对应处附八棱形流，通体黑釉，壶底及圈足露胎。通高 23.3 厘米，盖高 7.6 厘米，外径 9.6 厘米，内径 3 厘米，器身高 19.6 厘米，口径 8.4 厘米，腹径 22.5 厘米，底径 12.6 厘米"（河南省文物考古研究所，2003）。

图 1-19 储茶罐·唐五代时期　图 1-20 黑瓷碗标本·唐宋时期　图 1-21 外缸胎内黑釉瓷罐·唐代

图 1-22　黑瓷双系罐·唐代

由此可以看到，在唐代，黑瓷的使用实际上还是比较广泛的。那么，黑瓷作为茶具来使用的可能性更大。如上面所举的例子，注子和碗就很有可能是茶具。那么，从黑瓷的制作工艺来看并不是很差。所以，我们可以看到在唐代黑瓷有可能也不是像六朝时期那样专门为穷人所使用，而是变成了一种普通的瓷器（图 1-21）。由于其颜色为黑色，盛茶之时有一种混沌感，而这也正好迎合了茶具所讲究的亦真亦幻的感觉（图 1-22）。所以，估计唐代应该会有很多黑釉茶具存在，如若不然，在宋代也不会突然出现那么多精美绝伦的黑釉茶具（图 1-23）。

图 1-23　精美绝伦的黑釉茶盏·宋代

图 1-25 油滴釉盏·宋代

图 1-26 黑定茶盏·宋代

四、宋　代

宋代社会饮茶之风和茶文化继续发展，形成了巍巍壮观和独具特色的宋代茶文化（图 1-24）。如宋代社会兴起的"斗茶"之风就是一个很好的例证。北宋范仲淹的《斗茶歌》云："北苑将期献天子，林下雄豪先斗美。"所谓"斗茶"是人们通过对茶的色、香、味、形以及茶具和饮茶过程评判优劣的一种活动。在"斗茶"之风的推动下，制瓷技术迅猛发展，茶具成为达官贵人送礼的佳品（图 1-25）。

图 1-24 兔毫盏·宋代

图 1-27 精美绝伦的兔毫盏·宋代

我们来看一则广元市瓷窑铺窑址发掘的实例："盏托。残。托为敞口尖唇，斜直腹，底心下凹。托盘口微敛，尖唇，弧腹，盘身短浅，假圈足，底心上凸。托内施黑釉，饰红褐色云斑，器表施红褐色釉，施釉不及底，褐胎。托口径 7.4，托盘底径 4，器高 3.6 厘米"（四川省文物考古研究所，广元市文物保护管理所，2003）。而"斗茶"所用的茶具主要是黑釉茶盏（图 1-26）。"斗茶"的风尚，使人们对黑釉茶盏的需求量增大，著名的"天目茶盏"就是宋代结晶釉黑瓷的典型作品，曾盛极一时。甚至出现了许多专门用于烧制这种盏的瓷窑，如著名的福建建阳的建窑、江西吉安的吉州窑等，可以想象当时的需求量是多么的庞大。且对茶盏的质量有着特殊的要求（图 1-27），宋徽宗赵佶专为斗茶作《大观茶论》，文中论及茶具时说："盏色贵青黑，玉毫条达者为上，取其焕发茶色香色也。"在此风影响下，黑瓷茶盏的质量达到了顶峰，如建窑生产的"乌泥建""黑建"或"紫建""兔毫盏""曜变天目""油滴天日"。

图 1-28 油滴天目盏标本·宋代

图 1-29 建窑兔毫釉盏·宋代

图 1-30　建窑兔毫盏·宋代

我们再来看一则广元市瓷窑铺窑址发掘的实例："兔毫斑壶 1 件（96CCT6 ③ :218）。残。口微敞，平唇，长颈中部微内收、溜肩，下部不明，颈部附对称对圆管状竖耳。表里均施黑褐色釉，器表有兔毫状斑纹，灰胎。口径 3.1、残高 5.2 厘米 "（四川省文物考古研究所，广元市文物保护管理所，2003）。吉州窑生产的"玳瑁盏""玳皮天目""木叶贴花""剪纸贴花"等都是当时"斗茶"之风的产物。为什么很多称其为"天目"（图 1-28），这是因为宋代的"斗茶"习俗通过日本的留学生和僧人传到日本。因这种黑釉茶盏最初是从浙江天目山带去的，所以在日本至今仍把它称作"天目"，并以不同的装饰分别称之为"曜变天目""禾目天目""油滴天目""玳瑁天目""木叶天目"等。后来，这些名称又被欧美学者接受，从此黑釉茶盏传遍了世界。的确，这些茶盏是异常精美的，可以说件件都是精美绝伦。其中建阳窑生产的兔毫盏名满天下（图 1-29）。其形成原因主要是由于胎中氧化铁的含量比较高，"可以达到 9% 以上，甚至会更高，在高温下釉质变成液体时，胎中部分铁质就会迅速熔入釉中，与釉进行充分融合。在高温下，釉层里的气泡在飘浮的过程当中将铁质带到釉层表面，在 1200 ～ 1300℃ 的高温下，液态的釉层迅速流动，富含铁质的部分形成条纹状，冷却自然折射出赤铁矿小晶体"，从而形成色彩万变的兔毫窑变釉（图 1-30）。宋词及历代诗文多赞颂此盏，且有多种称呼，如玉毫、异毫、兔毛斑，兔褐金丝等。有许多还为宫廷御用，如底足刻"供御""进盏"字样的盏。

图 1-31　精美绝伦定窑黑釉茶盏·宋代

图 1-32　漆黑发亮黑定盏·宋代

除建窑之外，江西、四川、山西等地的瓷窑也造兔毫盏，但质量不及建窑。这足见宋人使用兔毫盏地区是何等的广阔。建窑生产的窑变花釉，目前仅存4件，且在日本。这4件瓷盏实属罕见，观之在釉面不规则的结晶斑周围会出现灿烂的光晕。这是由釉层表面一层厚仅万分之一毫米的薄膜所起的移境作用而把光线分解成彩虹般的色彩而形成的。它是我国劳动人们智慧的结晶。由此不难看出，在饮茶之风盛行的宋代，黑釉盏因"斗茶"而在烧造技术上达到了顶峰（图1-31）。同时我们还可以看到，在宋代，盏已经是人们饮茶的主要用具之一了。位于江西吉安永和镇的吉州窑除了生产兔毫和各种天目外，还生产独具特色的多种贴花盏，如木叶贴花和剪纸贴花等。其最主要的一种产品就是"玳瑁盏"，即看上去盏的釉面黑、黄等色交织混合，看似龟甲般的斑纹。木叶贴花是指用特殊处理的树叶，蘸上含铁量低的釉料，贴在已经施上黑釉的盏上，经过烧制，树叶的纹理清晰地印在黑釉上，自然成趣，别具一格，具有明显的地方特色。不过，树叶是极有特点的，笔者走访查看了许多实物及资料，可以认定木叶贴花上的树叶都为桑叶，这可能与我国古代"男耕女织""种桑养蚕"的小农经济、田园生活有关。另外，吉州窑首次将我国传统民间艺术剪纸移植到瓷器之上，主要有行龙飞凤，梅枝及"金玉满堂"等吉祥文字。这些装饰多在盏或者是盏的内部，从这一点上看它也应是喝茶用的。因为，如果为吃饭用，那么盏底部没必要装饰得那么华丽。总之，宋代黑釉茶盏的特点是选料考究，做工精致、纹饰精美、釉面色泽清新雅致（图1-32）。这也是许多茶盏共同的特点。

图1-33　建窑兔毫釉盏标本·元仿宋

　　然而不可能所有的人都使用"兔毫盏"或者"油滴天目"等精美的茶具来饮茶。一般的平民无钱购买精美的茶具，但是，茶还是要饮的，而且要用高档的茶盏。于是窑场烧制了质优价廉的茶盏，这些茶盏就是我们常见到的同时期烧制的质量略粗糙的黑釉茶盏，如"兔毫盏""油滴天目""木叶贴花""剪纸贴花"等。在河南三门峡陕州风景区就较常见到这类器物，胎质很厚（图1-33），做工粗劣，不过这些显然是试图仿制而又未仿制成功的建窑黑瓷产品，它们可能就是宋代普通百姓使用的专用茶具（图1-34）。宋代商业发达，在街上开设茶馆的和较殷实的家庭用的可能就是此种茶盏。例如，出土这种茶盏较集中的河南陕州故城遗址，在当时就是一个繁华的街市（图1-35）。当然，在偏远及贫困地区的家庭可能不用这种仿的"黑釉茶盏"。因为，对他们来说这些粗质的茶盏或者是盏同样是昂贵的。这就是宋代茶文化和茶具发展的两个极端和不一致性。但总的来看，宋代的饮茶观念已深入人心，人们已经将饮茶视为正常生活的一部分。

图1-34　建窑兔毫釉盏（背面）·元仿宋

图 1-35　建窑兔毫釉盏·元仿宋

五、元　代

元代黑釉茶具依然延续宋代（图1-36），但显然没有宋代那样的精美绝伦，造型也随意化了。我们来看几件洛阳龙门奉先寺遗址发掘的油滴釉碗："4件。均残。侈口，一浅腹，小圈足。3件口沿处呈铁褐色，1件上部为油滴釉。标本OOT7:17，口径12.4厘米，底径3.6厘米，高4.8厘米。"（奉先寺遗址发掘工作队，2001）由以上可见，元代茶具是以茶盏和茶碗为主。显然元代茶具的数量和配套组合的情况比宋代少得多。而且我们在考古发掘中也很少见到盏托，所以，可见元代在饮茶时盏和托的配合使用情况简化了不少（图1-37）。但元代的盏托似乎和宋代相比也有了很大不同。在河南渑池县博物馆，笔者发现了一件影青瓷的盏托组合器皿（图1-38）。当然，这一切都是很自然的事情。因为，事物是发展的，历史是进步的，任何事物在经历了它的高潮之后，必然会走向其衰落的一面。从以上茶具中，我们还可以看到，黑瓷经过其产生、发展、高潮之后，从元代开始走下坡路，最终被青花瓷所代替。

图1-36　黑褐釉茶盏·元明之际

图 1-37　兔毫釉茶盏·元代

图 1-38　影青组合茶盏·元代

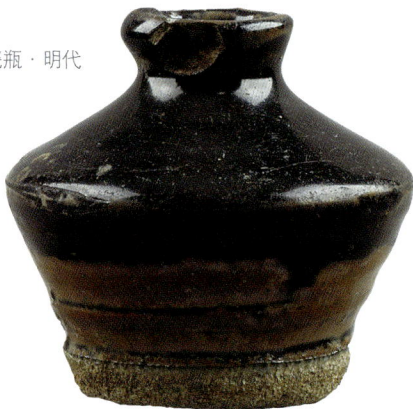

图 1-39　普通高岭土胎黑瓷瓶·明代

第三节　胎　质

一、高岭土胎

中国古代黑瓷高岭土胎显然是主流（图 1-39、图 1-40），这是由高岭土胎具有胎体延展性好、坚固、不变形等特点所决定的。从胎色上看，不同精致程度的高岭土胎所对应的胎色各异。如白胎所对应的黑瓷通常较为精致；而白褐胎对应的瓷器多以粗糙为主。由此可见，胎色意味着对于高岭土料的选择。我们在鉴定时应注意分辨。

黑瓷高岭土在质量上并没有过于明显的时代特征，各个时代都有高岭土比较优的选料，同时也有粗质的高岭土选料。黑瓷窑场在东汉六朝时期主要以德清窑为主，之后逐渐泛化。隋唐五代时期、

图 1-40　高岭土胎黑定茶盏·宋代

宋金元时期、明清时期有诸多的窑口都在搭烧黑瓷。从精致程度上看，黑瓷在高岭土料的选择上分为精致、普通、粗质 3 种，所对应的黑瓷应该是优质、普通、粗质 3 级。不过精致瓷器在数量上十分少见。

二、黏土料

黏土是硅酸盐材料的一种。由于中国古代黑瓷为人们日常生活当中的实用器，所以只要不影响到实用，各种各样的胎料都会出现。所以，黏土胎的出现也是很正常的事情。黏土胎体的黑瓷时常有见，墓葬和遗址当中都有出土，而且在总量上有一定的量，在黑瓷之上所占比例较重。从胎色上看，基本上被限定在了橙色、土黄等色彩范畴之内。从时代上看，中国古代黑瓷黏土胎贯穿于黑瓷生命的始终。东汉六朝时期黏土胎在数量上并不丰富，只有个别瓷器是黏土胎；唐宋时期黑瓷黏土胎在数量上有所增加；明清时期黑瓷黏土胎的数量进一步增加。从窑口上看，黏土胎并无过于规律性的特征，主烧或者搭烧的窑场内都有见（图 1-41）。在精致程度上，黏土胎的黑瓷与精致程度的关系呈反比：最为精致的瓷器之上不见黏土胎；普通的瓷器之上很少见到；多在粗糙的瓷器之上有见。

图 1—41　黏土胎黑瓷碗·明代

三、胎 色

中国古代黑瓷在胎色上具有鲜明特征。常见的胎色主要有灰胎、灰白胎、青灰胎、青胎、灰褐胎、砖红胎、黄白胎等（图1-42、图1-43）。由此可见，黑瓷色彩的衍生非常强，如黄白胎的黑瓷涉及器物造型众多，像碗、盒、执壶、罐、炉、瓶等都有见，可见器形十分丰富。另外，黑瓷在相近性上特征十分鲜明。如白胎和灰白胎；黄色和黄褐色等都有见。由此可见，胎色只是有条件性的相近，而不存在普遍意义上的相近性色彩。当然从胎色的差异性上看也是这样。鉴定时应注意分辨。黑瓷胎色主要以不同时代、不同窑口为显著特征，同时受到地域性的限制。

图 1-42 黄白胎黑釉瓷壶·五代

图 1-43 白胎黑瓷盘口壶·明代

图 1-44 淘洗精炼的黑釉标本·唐代

四、淘 洗

　　淘洗是黑瓷在选料之后必要的工序，主要以淘洗精炼者为显著特征。从胎色上看，胎色与淘洗并没有过于紧密的关系，如灰白、黄白、灰黑、黄褐等各种胎色都有见。但淘洗与胎色的纯正程度关系密切，并呈现出一种正比的关系。纯正的、稳定的色彩在淘洗上必然是最为精炼的，之后随着纯正程度的降低，淘洗精益求精的水平逐渐降低（图 1-44）。从原料上看，通常情况下优质高岭土料淘洗精炼；普通高岭土料在淘洗上则表现出普通淘洗的一个水平；粗糙者精炼程度下滑得很厉害。从时代上看，东汉六朝时期在淘洗上比较精炼；隋唐五代时期基本延续前代，淘洗精炼似乎已经成为一个固定化的倾向，贯穿于始终。从窑口上看，专门烧制黑瓷的窑口不多，但主烧黑瓷的这些窑场，如德清窑、建窑、吉州窑等都是历史名窑，淘洗精炼是主流（图 1-45）。

图 1-45 淘洗精炼的兔毫釉盏·宋代

图 1-47 精细胎黑瓷瓶·唐代

五、较细胎

　　较细胎典型特点是选料优良、白皙、匀厚、细腻、致密、坚硬等（图 1-46），主要受到时代、窑口、色彩的影响。从时代性上看，东汉六朝时期比较常见；唐宋时期较细胎数量有所增多，如建窑精致黑釉茶盏多为较细胎。从窑口上看，较细胎的黑瓷在窑口特征上十分明确，专烧黑瓷的窑场明显好一些。从色彩上看，色彩的纯正程度越好，其精细胎的程度就越深。如灰胎中常见较为精细的胎体；白胎当中也是这样。从数量上看，显然较细胎的黑瓷有一定的量，墓葬和遗址当中都有出土。从器形上看，精细胎体在器物造型上十分丰富，如盏、碗、盘、碟、钵、盂、盒、壶、瓶、罐等都有见（图 1-47），并没有过于规律性的特征。

图 1-46 较细胎黑瓷瓶·宋代

图 1-48 略粗胎兔毫釉盏·宋代

图 1-50 夹砂胎黑瓷瓶·明代

六、略粗胎

略粗胎者时常有见，但在时代上的特征并不鲜明（图 1-48）。东汉六朝时期略粗胎的瓷器比较多；唐宋及明清时期，略粗胎在黑瓷上依然占有重要的地位，虽然多以兼烧为主，但影响到实用的问题几乎没有。从窑口上看，德清窑、建窑、吉州窑等一些窑场都是以烧造略粗胎的黑瓷为主，非专一烧造黑瓷的搭烧窑场也是以略粗胎为显著特征（图 1-49）。在精致程度上，通常情况下黑瓷多以普通瓷器为显著特征，精致和粗糙的瓷器基本不见。由此可见，略粗胎的黑瓷在总量上有相当的规模。

七、夹砂胎

夹砂胎很容易理解，黑瓷作为青瓷的副产品，胎内沙粒非常明显，是人们烧造态度松懈的一种表现（图 1-50）。从时代上看，唐宋时期夹砂胎的数量经常有见，各个历史时期都有见。从数量上看，夹砂的情况非常普遍，各个墓葬和遗址当中都有见。由此可见，黑瓷并不避讳夹砂胎体的存在。从色彩上看，夹砂的胎体基本上是以白胎为主，其他色彩也有见。从原料上看，高岭土料的黑瓷夹砂胎体较少见；黏土为料的多见。从精致程度上看，通常夹砂胎的黑瓷有过于精致者，多数为普通瓷器，粗糙瓷器有见。

图 1-49 普通较粗胎黑瓷双系罐·明代

八、瓷化程度

中国古代黑瓷瓷化程度普遍比较好（图1-51），瓷化程度低的情况比较少见。北方地区瓷化程度比南方地区略好一些，主要是在烧窑的燃料方面有所区别。南方地区从东汉到清代基本上都是用山上的木柴来作为燃料使用，但北方地区在北宋时期就以煤为主要原料在烧造。煤的烧造等于说延长了窑内的保温时间，促使窑内化学反应更加充分，从而对瓷化程度的提高有明显好处。"宋元瓷器在瓷化程度上向单极化发展，一般情况下烧造温度都比较高，瓷器的胎体完全被烧结，瓷化程度比较高，极少发现瓷化程度不高的瓷器"（姚江波，2009）。北方地区在黑瓷烧造的瓷化程度上比较好，同时也可以看到对黑瓷的烧造十分重视（图1-52）。从精致程度上看，没有明显的特征，可以说精致、普通和粗糙的黑瓷在瓷化程度上都非常高。

九、略厚胎

黑瓷中略厚胎的瓷器时常有见（图1-53）。由此可见，略厚胎的黑瓷在总量上规模巨大，是主流。从概念上看，略厚胎的黑瓷指的是有一定的厚度，但这个厚度比厚胎要薄，比薄胎要厚，而且不是以尺寸来衡量，而是要以我们的视觉为判断标准。从时代上看，

图1-51　瓷化程度较高的黑瓷瓶·明代

图1-52　瓷化程度较高的黑釉瓷瓶·宋代

图 1-53 略厚胎黑瓷瓶·明代

略厚胎的中国古代黑瓷在各个时代都是主流，过厚和过薄的情况都很少见。只是建窑、吉州窑烧造的有一些特别精致的黑釉茶盏胎体厚度比较薄，不过数量非常少。明清时期黑瓷没有过于规律性的特征。从精致程度上看，大量略厚胎的黑瓷都是一些普通的瓷器。

十、杂 质

从理论上讲，没有杂质的胎体是不存在的，无论再精致的瓷器，也不可避免地会有杂质的存在。同样黑瓷胎体之上也存在着杂质（图 1-54）。从程度上看，黑瓷胎体杂质主要以轻微杂质为主，严重杂质有见，胎体匀净的情况很少见。这与黑瓷还有很大一部分是黏土和掺和料烧造的关系密切。从时代上看，也没有过于规律性的特征（图 1-55）。从精致程度上看，杂质较少的瓷器在精致程度上比较好；反之则亦然，呈现出的是一种反比。从色彩上看，多数杂质与胎色融为一体，但融合的效果不是很好，能够明显地观测到。

图 1-54 胎体略有杂质黑瓷罐·宋代

图 1-55 杂质明显的黑瓷标本·金代

十一、细　腻

中国古代黑瓷在胎体的细腻程度上比较好（图 1-56），但仅限于实用角度，不具备观赏性为主的官、汝窑瓷器那样过于细腻的胎体。胎体细腻程度主要与胎体的用料和淘洗等因素有关，而胎体淘洗又与选料有关。黑瓷由于主要是由民窑烧造，所以在选料上并不是很好，因此即使淘洗得十分精炼，也不可避免在胎体的细腻程度上会或多或少地出现问题（图 1-57）。从时代特征上看，各个历史时期都表现出均衡化的特征。从窑口上看没有过于规律性的特征。不同时代各个窑场都有可能烧造。

十二、疏　松

中国古代黑瓷胎体疏松者数量很少，墓葬、遗址当中很少见，只有在一些遗址出土的大量黑瓷标本中有见，可见数量的确是比较少。从这些标本来分析原因，主要是因为从思想上放松了对选料等环节的要求所导致（图 1-58）。从精致程度上看，胎体疏松的黑釉瓷器精致者很少见，主要以普通，特别是粗糙的瓷器为显著特征。

十三、重　量

中国古代黑瓷在重量上特征比较明确，就是略显重（图 1-59）。一是黑瓷在原料选择上比较普通；二是胎体以略厚胎为主。二者叠

图 1-56　细腻胎体黑瓷标本·明代

图 1-57　细腻胎体黑瓷盘口壶·唐代

图 1-59　胎体厚重的黑瓷罐·唐代

加在一起就使得黑瓷在胎体重量上比较重。轻盈的黑瓷也有见，但多是一些茶盏等特殊器皿，如宋代定窑的黑定和建窑的兔毫盏等。但数量比较少，显然占据不到主流地位。

十四、气　孔

　　黑瓷当中有气孔的情况常见。这些气孔在形状上有的是圆形的，有的是不规则形的；有的比较集中存在，有的较为分散（图 1-60）。从概念上看，气孔是一种窑内缺陷，气孔的出现与烧造温度的稳定程度、原料、淘洗精炼程度等诸多因素都有关系。同时，它的出现显然具有偶见性，是不可控的。从时代上来看，东汉六朝和隋唐五代时期比较多见，宋元、明清时期在胎体气孔的程度上有所下降，但下降的幅度微弱，只能从宏观上感觉。有气孔的胎体与精致程度有着一定的关联，一般情况下气孔比较多的胎体窑内缺陷较多，精致瓷器的可能性比较小；普通瓷器之上常见；粗糙瓷器在气孔之上表现明显，其显著特征是分布较广，较为密集等。

图 1-60　气孔明显的黑瓷胎体横截面·明代

图 1-58　胎体疏松的黑瓷标本·金代

十五、规 整

中国古代黑瓷胎体在规整程度上特征十分鲜明。如宋代的瓷业非常发达,胎体规整是宋代的一个标志,几乎杜绝了变形器的存在(图1-61)。但判断的标准完全取决于人们的视觉,只要感觉规整那么它就是规整的,由此可见显然是一场视觉的盛宴。从精致程度上看,黑瓷在胎体规整程度上与精致程度的关系明确,主要以粗糙黑瓷为显著特征。

十六、艺术品特质

中国古代黑瓷的胎体由于过于浓郁的民窑特征,其艺术品的特质表现主要是契合于人们内心的共鸣,在胎体上的艺术品特质是朴素的(图1-62),主要是经历实践的检验,实用功能居于首位,实用和成本之间的一种博弈,反映的是人们最朴实的情怀。中国古代黑瓷一直坚持这种艺术品特质,贯穿于整个生命始终,从瓷化程度、胎体选择、均匀程度等诸多方面都没有下降。可见黑釉瓷器所彰显出的是一种更高贵的艺术品特质(图1-63)。

图 1-63 精美绝伦的黑釉瓷瓶 · 宋代

图 1-61 胎体规整黑瓷碗 · 宋代

图 1-62 胎釉皆美的黑瓷瓶 · 明代

图 1-64 完好无损的黑瓷罐·宋代

第四节 完 残

一、完 好

黑瓷完好者少见，完好的器皿有见，但数量不是很多（图 1-64），以墓葬出土为主。窑址出土完整器的可能性极小，城址当中也是这样。只有极个别小件的黑瓷在夹缝中被完好地保存了下来。从时代上看，东汉六朝时期完好的黑瓷少见；唐宋金元时期完好数量略多；明清时期完好数量最多，而且以传世品为主。

二、残 缺

从概念上看，既有残又有缺即为残缺（图 1-65），在程度上可以分为轻微和严重残缺两种情况。轻微残缺的黑瓷比较常见，多以口部、足部有轻微残缺、腹部有摩擦痕迹等为主。从数量上看，黑瓷轻微残缺的情况也比较常见，数量要远大于完好的器皿。从时代上看，轻微残缺在东汉六朝时期少见；唐宋时期最为常见；明清时期也有见，但数量并不是太多。从窑口上看主要以兼烧黑瓷的窑场为主。严重残缺的黑瓷比较多，以遗址出土为显著特征，常常成千上万件，多数仅剩下片状（图 1-66）。

图 1-65 残缺的黑瓷碗·金代

图 1-66 较严重残缺的黑瓷瓶标本·宋代

图 1-67 可复原的黑瓷碗·明代

三、复　原

中国古代黑瓷器中如果有口沿、有腹、有底足的标本完全可以复原（图 1-67）。复原的方法通常主要有两种：自然复原和模具复原。自然是指没有缺失，如墓葬当中碎成数百片的情况，经过我们的拼接完全可以将其造型复原，这种复原我们称之为自然复原。模具复原是指必须借助模具才能复原的器皿，如一个黑瓷碗通过对有效标本的打模就可以复原其造型。显然这样的可复原器也具有一定的保值和升值功能。

四、裂　缝

中国古代黑瓷中有裂缝者主要以考古修复为主。支离破碎的黑瓷经过粘接后可以恢复到原先的模样，布满了裂缝（图 1-68）。但考古修复并不掩饰这种痕迹（图 1-69），在博物馆中我们经常可以看到这种有裂缝的瓷器。还有一种情况就是受到外力的作用，局部开裂，这种情况很少见。对于有裂缝的瓷器辨别的方法主要有两种：一是听声音；二是做检测。完好无损的黑瓷听起来有悦耳的金属声，

图 1-68 有裂缝的黑瓷碗·明代

图 1-69 有裂缝的黑瓷碗·宋代

图 1-70 微有变形的黑瓷双系罐·唐代

图 1-71 有土蚀的黑瓷盘口壶·五代

掷地有声，而有裂缝的瓷器声音听起来非常沉闷。做检测也很必要，对于有裂缝的瓷器、经过做旧的黑瓷，我们从外表看不到其裂缝，但是通过光学仪器来观察，可以看得很清楚。

五、变　形

中国古代黑瓷中变形器很少，这与黑瓷实用器的功能关系密切，也得益于中国古代黑瓷发达的造型技术。一般情况下，黑瓷的造型都是比较规整，变形的情况只在一些非常粗糙的瓷器之上出现。从时代上看，没有过于规律性的特征（图 1-70）。从精致程度上看，精致和普通的瓷器之上很少见到变形的情况。主要是粗糙瓷器上有见。

六、土　蚀

中国古代黑瓷土蚀的情况比较常见（图 1-71）。土蚀无法用传统的方法洗掉，这些顽渍从形成的原因上看，主要与环境有关，如在潮湿的环境中就容易形成。一般情况下南方表现严重，如上海、南京、杭州等地出土的黑瓷表面土蚀都是密布；而北方地区由于比较干燥，多数土蚀比较轻微，以局部受到土蚀为显著特征。从时代上看没有过于明显的时代特征。

图 1-72 纯黑釉瓷器标本·明代

第五节 釉 质

一、釉 色

1. 纯黑釉

纯黑的釉色在黑瓷当中有见（图 1-72）。从色彩上看，纯黑釉属单色范畴，在色彩上达到了纯正的程度，这是黑瓷所追求的。黑瓷在其产生之时就成功烧制了纯正的黑色，并且将这种色彩延续至今，可见是其固有的传统。从时代上看，东汉六朝纯黑釉瓷逐渐成为一种时尚，进入到人们的日常生活当中。虽然黑瓷在东汉晚期同中国古代青釉瓷器一同产生，但黑釉的色彩还远达不到纯正的效果，多数在颜色类别上属复色和串色范畴，进入六朝后，黑瓷碗在烧造技术上有所提高，还出现了专门烧造黑瓷的窑场——德清窑。德清窑烧造的黑釉瓷碗多数达到纯色的效果。黑色是世界上最幽暗的色彩，黑到极点即为纯色。纯正黑釉瓷色彩稳定，几乎无通透性，外观凝重（图 1-73）。隋唐时期烧造黑瓷碗的窑场相当丰富，但专有

图 1-73 纯黑釉瓷器标本·明代

图 1-74 漆黑釉瓷碟·明代

的黑瓷窑场也并不多见，通常情况下都是兼烧。唐代黑瓷在技术上
已经较为成熟，纯黑色彩相当普遍，但由于黑瓷的民用性极为浓重，
所以即使在唐代也有相当多黑瓷在色彩上不是很纯正。宋元时期纯
正的黑瓷逐渐常态化。明清时期延续宋代。从窑口上看，中国古代
纯黑釉的瓷器在窑口上特征比较明显，以德清窑为显著特征。搭烧
黑瓷的窑场在纯黑瓷上表现的是参差不齐。从光泽上看，以黯淡为主，
均匀、柔和、通体闪烁着淡雅的非金属油性光泽。从精致程度上看，
纯黑釉的瓷器很少见到普通或粗糙的瓷器，主要以精致瓷器为主。

2. 漆黑釉

漆黑釉的瓷器时常有见（图 1-74），墓葬和遗址当中都有出土。
我们来看一则抚顺千金乡唐力村金代遗址发掘的实例："金代瓷碗，
T5:2 釉色漆黑光亮"（王维臣，温秀荣，2000）。漆黑釉是一种单色釉，
它是模仿黑漆的色彩，东汉六朝时期在德清窑中已有应用。从时代
上看漆黑釉贯穿于黑瓷生命始终，是中国古代黑瓷上的主流色调之
一。从光泽上看，漆黑釉的光泽漆黑发亮，有滋润的感觉（图 1-75），
非金属油性光泽浓郁。从精致程度上看，漆黑釉的瓷器与精致瓷器
关系密切，但也有见普通的瓷器，粗糙者几乎不见。

图 1-75 漆黑釉罐·唐代

3. 黑褐釉

黑褐釉的瓷器常见（图 1-76），从件数特征上看有一定的量，但显然占不到主流地位。从色彩上看，黑褐釉的瓷器是一种复色，黑色与褐釉色彩的融合，并成为了一种独立的色彩，十分稳定。从时代上看，东汉六朝、隋唐时期较为流行。从色彩上看，黑褐釉瓷器显然属于复色的范畴，黑、褐两种色彩融合在一起，这种色彩虽然在幽暗程度上有所降低，但看起来黑釉瓷已不是那样的凝重，给人以放松的感觉。正是由于这样，黑褐釉瓷赢得了人们的喜爱，从东汉晚期直至隋唐时期都十分流行，而且影响十分深远。我们可以看到，在宋元瓷器中同样发现了诸多黑褐釉瓷器。黑褐釉瓷在东汉六朝、隋唐时期为最普通的民用瓷，数量众多，各个窑口基本上都有烧造（图 1-77）。从呈色上看，东汉六朝黑褐釉瓷在色彩上也较为稳定，没有串色很严重的情况，只是在釉质的浓淡程度上有所不同。宋元时期也有见，但从出现频率上看，以宋代为显著特征，元明清时期也有见，但数量最少。黑褐釉瓷器在窑口特征上十分明晰，主要以非专门烧造中国古代黑瓷的窑场为主，在主烧窑场当中很少见，如德清窑当中就很少见。从光泽上看，色彩呈现得柔和、细腻，多数通体闪烁着淡雅的非金属光泽。从精致程度上看，黑褐釉瓷器与精致瓷器基本无缘，通常情况下以普通，甚至是粗糙瓷器最为常见。

图 1-76　黑褐釉瓷瓶·明代

图 1-77　黑褐釉瓷瓶·明代

图 1-78 黑中泛黄釉瓷器标本·元代

图 1-79 黑中泛黄釉瓷器·金代

4. 黑中泛黄釉

　　黑中泛黄釉的瓷器在黑瓷当中有见（图 1-78），墓葬和遗址中都有见，遗址出土数量多一些，但是总量并不大。从色彩上看，黑中泛黄釉属衍生性色彩，但比较稳定，逐渐形成了一种黑瓷色彩类别。从时代上看，东汉六朝、隋唐时期黑中泛黄青釉瓷有见。黑中泛黄釉不是纯粹意义上的复色釉，它只是在黑釉中有黄釉闪烁（图 1-79），是黑釉和黄釉的融合。这一点我们在鉴定时要引起注意。但这是一种烧造成功的黑瓷釉色，只不过在呈色上不是很稳定罢了。从数量上看，东汉晚期有见，但数量不是很多；隋唐时期继续发展，数量有所增加，特别是在唐代中后期我们发现有许多黑釉瓷上闪烁着黄釉的色彩。宋元明清时期基本延续了传统。从窑口上看，专有烧造黑瓷的窑场，如德清窑当中很少见，主要以非专业烧造的窑场为显著特征。从光泽上看，有一定的亮度，多数瓷器通体闪烁着柔和的非金属光泽。从精致程度上看，黑中泛黄釉的瓷器由于色彩发生了偏移，客观上形成了衍生性的色彩，与精致瓷器基本上无缘，多数是粗糙瓷器。

图 1-80 黑中泛紫釉瓷瓶·明代

5. 黑中泛紫釉

黑中泛紫釉的瓷器在黑瓷当中有见（图1-80），墓葬和遗址当中都有见，总量不大，仅是一种釉色品种而已。从色彩上看，黑中泛紫釉也是一种复合的色彩，但不纯正，因为只是黑瓷上泛出一些紫釉色彩。实际上这是一种缺陷，黑色和紫色本身在烧造时就容易串色，但黑中泛紫釉的色彩在客观上已经成为了一种独立的色彩。从时代上看，不仅仅东汉六朝、隋唐时期常见黑中泛紫釉的色彩，而且在以后的其他时代都很常见黑中泛紫釉的瓷。从窑口上看，许多窑场都有烧造，但多是兼烧。从光泽上看，黑中泛紫釉在光泽上淡雅、温润，油脂性光泽浓郁。从精致程度上看，黑中泛紫釉的色彩与精致黑瓷的关系不密切，主要以普通瓷器为显著特征。

图 1-81 外黑内白釉瓷碗·元代

图 1-82 外黑内白釉瓷碗·明代

图1-83 黑酱釉双系罐·宋代

6. 外黑内白釉

外黑内白是黑瓷当中一种十分常见的施釉方式（图1-81）。黑釉和白釉结合，而且这种施釉方式固定化了，较为稳定，显然已经形成一种独立色彩。从时代上看，外黑内白的釉色在时代特征上比较明确，东汉六朝时期不见，唐宋时期也很少见，主要以明清时期为常见。从窑口上看，以非专业烧造黑瓷的窑场为主（图1-82），像德清窑瓷器当中基本上不见。从光泽上看，光亮、润泽，反差之美油然而生，通体闪烁着淡雅的非金属光泽。从精致程度上看，主要以普通瓷器为主，精致和粗糙的瓷器当中都很少见。

7. 黑酱釉

黑酱釉显然属于复色的范畴，是酱黑两种色彩的集合体（图1-83），是纯正酱色的衍生色彩，当然在色彩分割上是以酱色为主，以黑色为辅。东汉六朝、隋唐时期，黑酱釉瓷十分常见，特别是唐代，从出土器物上看数量众多，从呈色上看十分稳定，除了酱黑两种色彩外，基本上没有其他的色彩串联，通透性要比黑釉色彩好得多。当时的各大窑口基本上都兼烧黑酱釉的瓷器。黑酱釉瓷作为一种民用色彩浓郁的瓷器在产量上也比较大，但从做工上看，精美绝伦器不是很常见。

图 1-87 釉层均匀的黑瓷瓶·宋代

二、釉质特征

1.开　片

开片是在烧造过程当中釉
面出现的裂纹（图 1-84），这种
裂纹多是无规律地排列着，为窑内缺
陷的一种。开片通常为视觉上的盛宴，没有尺
寸上的标准。从形状上看，黑瓷开片控制得比较好，很少见到有明
显的开片（图 1-85）。当然，这与浓黑的色彩遮挡也有关系。从时
代和窑口上也没有过于复杂的特征，统一表现为不明显。从窑口及
精致程度上看基本上也是这样，无论是主烧还是搭烧的窑口都不明
显，对开片都进行了一些控制，而且这种控制是全面的，无论精致、
普通还是粗糙的瓷器之上都很少见。

图 1-84 微有开片的黑瓷罐·唐代

图 1-85 不见开片的黑釉瓷碗·元代

2.厚 薄

中国古代黑瓷在釉层的厚薄上特征明确，主要分为较厚釉、较薄釉、薄釉3个层次（图1-86），非常厚的釉不见。但这并不是一个发展历程。从时代上看，黑瓷特征较为均衡化，在各个时代都存在较厚釉、较薄釉、薄釉的情况。从窑口上看，无论主烧还是搭烧的窑场，较厚、较薄和薄釉并存。从精致程度上看，黑瓷的釉质厚薄与精致程度的关系密切，精致、普通、粗糙的瓷器之上都有见。

3.均 匀

黑瓷在釉层的均匀程度上分为釉层不均和均匀两种情况。釉质均匀是黑瓷的主流，但流水线作业的痕迹比较明显（图1-87）；从釉质不均上看，黑瓷中釉质不均者常见，釉质不均是一种缺陷，它的形成主要与釉层的厚薄，以及窑内缺陷有一定的关联。从部位上看，不匀的情况以器物的近底足处为多见。从时代上看，从东汉六朝贯穿于其始终（图1-88）。从窑口上看，中国古代黑瓷釉层均匀与不均匀的情况都有见，没有过于规律性的特征。从精致程度上看，黑瓷釉质不均的现象与精致程度实际上有着一定的关联，通体均匀者多精致；普通瓷器均匀与不均的情况都有见；粗糙瓷器主要对应的是釉层不均。

图 1-88 底足施釉略不均匀的黑瓷碗·宋代

图 1-86 薄釉黑瓷瓶·宋代

4. 流 釉

流釉是釉质在流动的过程当中形成的堆积或者是痕迹（图 1-89）。从流釉程度上看，黑瓷在流釉程度上可以分为釉面匀净、轻微流釉和严重流釉 3 种情况。轻微和严重流釉的区别主要在于我们的视觉。从流釉部位上看，黑瓷在流釉的部位上多数为近底足处，但是也有在器物的腹部，甚至口沿处有流釉现象，这种情况很少。施半釉的情况有见，但不像其他瓷器那样表现得很明显。从时代上看，黑瓷流釉现象在东汉六朝时期德清窑中不是很严重；隋唐五代时期流釉现象有所加重，但显然可控；宋元时期基本上延续传统；明清时期略好一些。从窑口上看，黑瓷流釉的现象以搭烧窑口为显著特征，主烧窑场表现不是很明显，如著名的德清窑和建窑等都是这样。从精致程度上看，黑瓷的流釉与精致程度关系十分密切，通常情况下精致的瓷器很少见到有流釉的现象，主要以普通和粗糙瓷器为主（图 1-90）。

5. 杂 质

杂质是所有瓷器釉面上都应该有的现象，但这只是理论上的。有杂质的情况主要可以分为两种：轻微杂质和严重杂质。从程度上看，黑瓷杂质在严重程度上参差不齐，可以说匀净、轻微、严重的情况都有见（图 1-91）。从时代上看，黑瓷杂质在东汉六朝时期控制得比较好，以德清窑为代表。但是德清窑以外的窑场兼烧的黑瓷，对于釉面杂质的控制比较差。隋唐五代时期黑瓷在釉面的控制上进一步发展，主要特征是比较泛化，各个窑场在杂质的控制上都有所进步，但显然没有德清窑好。宋元时期情况进一步好转，一些专烧黑瓷的窑场在杂质的控制上比较好，而搭烧的窑场表现的不是太好（图 1-92）。明清时期基本延续传统。从精致程度上看，精致瓷器以釉面匀净为显著特征。如宋代黑定基本上都是釉面匀净者，而普通和粗糙瓷器当中则非常容易见到杂质。

图 1-89　有流釉的黑瓷碗·辽代

图 1-90　有流釉的黑瓷碗·清代

图 1-91　严重杂质的黑瓷标本·金代

图 1-92　有杂质的黑瓷标本·宋金时期

图 1-94 化妆土良好的较粗黑釉瓷器标本·金代

6. 化妆土

瓷器的化妆土犹如妇女化妆一样，先在面部打上粉底，其目的是胎釉结合良好（图 1-93）。中国古代黑瓷从西晋已经开始普遍使用化妆土，黑瓷胎釉结合不好，釉层剥落的现象得到基本遏制。从精细程度上看，黑瓷化妆土以精细为显著特征，粗略的化妆土也有见，但数量不是太多。从时代上看，自从化妆土普遍使用以后直至明清时期，基本上没有太大的改变。从窑口上看，专有窑口如德清窑、建窑、吉州窑等非常认真，胎釉剥离现象基本被杜绝；而一些兼烧的窑场，在化妆土的施加上不是很认真，胎釉剥离现象有见。从精致程度上看，精致瓷器的化妆土一般都是十分精细，普通、甚至是粗糙者化妆土有时也比较精细（图 1-94），粗略的情况为辅。由此可见，在精致程度上并不对等。

图 1-93 胎釉结合良好的黑瓷罐·唐代

图 1-96　通体施釉精致的黑瓷标本·宋代

7. 稠　密

黑瓷在釉质稀稠上特征十分明确，以稠密为显著特征（图 1-95），稀薄的瓷器很少见，并且釉层的稠密与较厚釉和较薄釉没有太大的关联。从时代上看，黑瓷釉质稠密的现象，贯穿于黑瓷生命的始终。从窑口上看，几乎所有烧造黑瓷的窑场都烧造稠密釉的黑瓷。在精致程度上也没有过于明显的特征，精致、普通、粗糙者都有见。鉴定时应注意分辨。

8. 通体施釉

黑瓷通体施釉的情况比较少见，只是偶尔有见通体施釉者（图1-96），通体施釉的黑瓷从数量上不占优势。从器物造型上看，通体施釉涉及各种器物造型，如碗、盘、盏、盒、壶、罐、瓶、枕等都有见，但以盏、瓶、枕等为多见。从时代上看，通体施釉的黑瓷在各个时代的精致瓷器之上基本都有见，只是数量很少而已。从窑口上看，通体施釉的黑瓷以主烧窑口为显著特征，如德清窑、宋代黑定、建窑兔毫釉等都有见；搭烧的窑口很少见到。

图 1-95　釉质稠密的黑瓷标本·明代

图 1-99　普通施釉不及底折肩的黑瓷瓶·宋代

9. 局部施釉

局部施釉的黑瓷最为常见（图
1-97）。实际上局部施釉是一种施釉
方式，并不是一种缺陷，在黑瓷上处
于主流的地位。从施釉部位上看，常见
施釉不及底、除底足外、施釉近底部等特
征。由此可见，局部施釉的部位还是很复
杂。实际上在高温下釉质变成液态的情况下，釉层能够控制在近底
足未施釉的状态（图 1-98），显然需要一定的技术力量支持。但是
黑瓷为了能够节省成本，基本上都还是很好地掌握了这一技术。从
时代上看，局部施釉可以说从东汉六朝时期贯穿于始终。从窑口上看，
基本上都是以局部施釉为主。从精致程度上看，黑瓷与精致程度关
系并不密切，精致、普通、粗糙瓷器当中都有见（图 1-99）。

图 1-97　局部施釉的黑瓷瓶·明代

图 1-98　近底足未施釉的黑瓷碗·金代

图 1-100 德清窑风格黑瓷罐·唐代

第六节 窑 口

一、德清窑

德清瓷的出现可以说是应运而生（图1-100），在当时的黑瓷市场上站稳了脚跟。德清窑早在商代就开始烧制印纹硬陶和原始瓷；自汉代以后，在各窑口竞争激烈的情况下，转向烧黑瓷，一直至唐代不断；三国至东晋，德清窑就生产双耳罐等大中型黑瓷；东晋时期窑场规模扩大至德清窑周围及余杭县的大陆、果园和吴兴县等地。如"1974年，余杭县大陆果园与馒头山又发现了德清瓷窑址两处，产品种类，风格、年代与德清窑县城周围的窑址相同……生产的瓷器有盘、壶、罐、盆、钵、盒等，造型简朴，注重实用……碗碟等大小配套，不同的径的碗达十余种之多……釉有青釉和黑釉两种……黑釉釉层丰厚，呈黑色或黑棕色"（冯先铭，1994）。

以上是对德清窑科学的描述，德清窑规模的扩大，说明了它以生产黑瓷为主的路线是正确的，肯定是产品好销所以才有人去仿"德清窑"黑瓷。从器形上来看，实用性很强，都是些生活用具，人们非用不可的，目的是为了好销。另外从碗的口径多达十余种来看，德清窑的黑瓷显然是一种商品（图1-101），靠品种多、价格低、质量好来吸引顾客和供顾客挑选。德清窑在装饰上一改当时黑瓷器的繁缛，十分简朴，这主要是实用的缘故。其质量也很好，前期釉泪流挂，釉斑密布。到东晋后烧造技术日臻成熟。

上海博物馆收藏的一件德清窑黑釉四系壶"高 24.9 厘米，口径 11.4 厘米，腹径 18.8 厘米，肩径 11.4 厘米，大盘口、直唇、长颈、溜肩、鼓腹、高身、下部渐收敛，平底、重心靠下、安放平稳、使用方便。通体施釉，呈色稳定，无大面积剥釉现象，釉面滋润透澈，器表匀称光滑，包黑如漆，匀净无瑕，光泽闪烁，晶莹美丽"（梁白泉，1990）。可见德清窑的产品质量与当时其他窑系相比还算是不错的，如婺州窑和瓯窑黑瓷都有剥釉现象。"总的来看，德清窑在器物造型和装饰手法上和同时期其他窑系都十分相似，这可能是互相借鉴的结果。而当时北方的黑瓷多是一些粗制滥造的产品。釉成黑褐色，以褐色为主，外形仿同时期的青瓷"（姚江波，2002）。德清窑主要是以釉质取胜，在晋代就烧制出了较为纯正的黑色，如乌黑、漆黑等釉色都常见，基本上没有偏色现象，色泽淡雅，通体闪烁着非金属的光泽，在流釉、匀净程度等诸多方面都堪称一流。鉴定时应注意分辨。

德清窑的影响十分深远，不仅仅是烧造出了精美绝伦的黑瓷，而且通过了一系列的技术革新，使黑瓷的色彩变得稳定，这一点对于后世窑口的影响很大。基本上黑瓷在色彩上都是沿着德清窑所倡导黑瓷的标准，今天我们从生产黑瓷的技术上仍然能够看到德清窑的影子。

图 1-101　德清窑漆黑釉风格产品·宋代

二、定 窑

众所周知，著名的定窑是烧制白釉瓷器的窑场，但同时定窑也烧造有为数不多的黑瓷，人们称之为黑定（图1-102）。黑定工艺精湛，是宋代瓷业发达的象征。定窑的窑址在今天的曲阳县境内，并以曲阳县为中心向周边辐射，最终形成了巨大的窑系。河南、山西、上海、海南等地都发现过生产定窑瓷器的窑场。定窑瓷器在宋代遍及全国，但对于黑定瓷器来讲，并不是所有的窑场都有烧造，多数窑场只烧造白釉。黑定瓷器在数量上比较少见，一般的墓葬和遗址当中都有见。黑定在总量上非常少，但相对于整个黑瓷的总量来讲，几乎可以忽略不计。宋代黑定瓷器做工精湛（图1-103），不计工本。在器形上，黑定瓷器特征明确，主要是受到建窑风格茶盏的影响，多数是斗笠形的造型，但比建窑茶盏体积大得多。日常生活当中的用具，如盘、碟、盒、注子等也都有见。定窑中的黑定以釉质取胜，很少见纹饰。黑定在釉质上极尽心力，追求纯正，光泽淡雅，手感温润，美的极致（图1-104）。从胎质上看黑定瓷器致密、坚硬、细腻、胎内杂质很少见，胎色纯正，达到了相当的精致程度（图1-105）。总之，宋代黑定瓷器的影响十分深远，将黑瓷的烧造技术提升到了巅峰状态（图1-106），成为人们心中一个永远的神话。

图 1-102 黑定盏·宋代

图 1-103 精益求精的黑瓷盏·宋代

图 1—104 漆黑发亮的黑定茶盏·宋代

图 1—105 黑定盏·宋代

图 1—106 精美绝伦黑定盏·宋代

三、建　窑

　　建窑是宋代主烧黑瓷的重要窑场，生产的规模较大（图1-107）。但建窑烧造的黑瓷并不普通，因为建窑开创性地烧造了许多新品种，如兔毫釉、油滴天目等，精美绝伦，令人叹为观止（图1-108）。建窑的窑址位于福建建阳，并因此而得名。建窑的窑址目前已发现很多。建窑黑瓷在数量上十分丰富，主要是作为人们的生活用具，规模十分庞大，但精致的茶盏在数量上却也是比较少。

图1-107　建窑油滴釉盏·宋代

图1-108　建窑兔毫釉盏·宋代

图 1-109　建窑兔毫釉盏·宋代

图 1-111　兔毫釉盏·宋代

从地域上看，全国各地基本上都有见建窑和吉州窑的产品，由此可见，在当时"通销全国"（图 1-109）。但建窑在当时和以后并没有形成窑系。建窑的时代是在宋元时期，以宋代烧造最为精致，元代在质量上普遍下降（图 1-110）。

从精致程度上看，建窑的瓷器较为复杂，精致、普通、粗糙者都有见。建窑黑瓷主要以工艺取胜，取胜的法宝是创新。如成功地烧造出了兔毫釉，这是一种窑变釉，釉质就像兔子的毫毛一样从盏的内心向外衍射，最终到达器物的口沿部，亦真亦幻，使人流连忘返（图 1-111）。建窑的影响是深远的，它以其绮丽的工艺、高超的技术水平，为我们诠释了人世间的另外一种"美"，从而受到人们的青睐。以至于今天，我们还在生产受到宋代建窑影响的产品。

图 1-110　兔毫釉盏·元代

图 1-113 敞口瓷碗·民国

第七节 造 型

一、口 部

1. 敞 口

敞口顾名思义就是指口部向外部张的比较大的口部造型（图1-112），在黑瓷上应用比较普遍。

鉴定要点：

（1）从器形上鉴定：黑瓷敞口的造型在碗、盘、碟、壶、瓶、盏等器皿之上都有见，主要以碗最为常见（图 1-113）。

（2）从衍生造型上鉴定：黑瓷敞口的造型衍生性比较强，大敞口、小敞口、近敞口、敞口外撇等都有见。

（3）从功能上鉴定：敞口的造型在功能上显然是有利于散热的需要，如碗的造型就是这样。

图 1-112 敞口黑釉瓷碗·民国

图 1-114 敞口黑瓷碟·明代

图 1-115 敛口黑瓷碗·宋代

（4）从流行程度上鉴定：敞口的中国古代黑瓷在流行程度上比较广泛，从时代上看，贯穿于黑瓷的始终；从使用阶层上看无论贵贱都有使用（图 1-114）。

2. 敛 口

中国古代黑瓷敛口的口部有一个向内敛的过程，囊括了众多口部造型，如椭圆口、长方形口、圆口等。

鉴定要点：

（1）从器形上鉴定：以碗、盘、碟、灯、瓶、盏托、烛台等为常见（图 1-115），但从总量上看还是以碗为最多。

（2）从衍生造型上鉴定：中国古代黑瓷敛口在衍生造型上不断尝试，主要有大敛口、小敛口、微敛口、敛口较甚等（图 1-116）。

（3）从功能上鉴定：敛口的中国古代黑瓷功能特征比较明确，主要以实用为主，少量的兼具有装饰的功能。

（4）从流行程度上鉴定：中国古代黑瓷在流行程度上无论宫廷还是市井之上都有见。

图 1-116 敛口较甚黑瓷灯·明代

图 1-118 侈口较甚黑瓷碟·明代

3.侈 口

中国古代黑瓷侈口的造型时常有见（图 1-117），墓葬和遗址当中都有出土。侈口与敞口的区别是向外延伸的过程更为明显。

鉴定要点：

（1）从器形上鉴定：中国古代黑瓷侈口在器物造型上应用非常广泛，涉及灯、碗、瓶、盆、钵、注、盘等，其中以盘、碟等比例所占最大。

（2）从衍生造型上鉴定：侈口的衍生造型比较丰富，大侈口、小侈口、微侈口、侈口较甚、侈口微卷等都有见（图 1-118）。

（3）从功能上鉴定：侈口的黑瓷功能十分明确，主要以日常生活用具为主，兼具装饰的功能。

（4）从流行程度上鉴定：中国古代黑瓷侈口在各个历史时期均有见，十分流行。

图 1-117 侈口黑瓷碟·辽代

4.直 口

中国古代黑瓷直口的造型时常有见，墓葬和遗址当中都有见，但数量上不占优势。

鉴定要点：

（1）从器形上鉴定：中国古代黑瓷直口的造型选择明确，有一些造型常见，如瓶、壶、三足炉、盒等（图1-119），尤其以盒为最多。

（2）从衍生造型上鉴定：中国古代黑瓷直口在衍生性上表现得较丰富，近直口、微直口、小直口、大直口等都有见，如黑釉瓷瓶、炉等在宋代很容易见到微直口的现象。

（3）从功能上鉴定：中国古代黑瓷直口的功能主要以实用为显著特征，兼具装饰的功能，如盒以直口为主（图1-120），但同时还是子母口。

（4）从流行程度上鉴定：中国古代黑瓷直口造型广泛，可以说从东汉六朝时期到明清时期都有见，其中以唐宋时期为多见。

图1-119 直口双系黑瓷罐·金代

图1-120 直口黑瓷盒·唐代

图 1-122 酱黑釉花棱形盘·明代

5.花 口

花口即像花儿一样的口部造型，在中国古代黑瓷当中常见（图
1-121）。

鉴定要点：

（1）从器形上鉴定：花口造型十分丰富，如盘、碟、瓶等都有
见（图 1-122），涉及各种器物造型。

（2）从衍生造型上鉴定：中国古代花口黑瓷在造型的
衍生性上十分丰富，但显然不能逾越花的造型。

（3）从功能上鉴定：花口的功能与装饰性结
合紧密，以装饰为先导（图 1-123）。

（4）从流行程度上鉴定：中国古代花口
的黑瓷器皿在流行程度上比较广泛，贯穿于
黑瓷的生命始终。

图 1-121 花口黑瓷标本·元代

图 1-123　花口黑瓷标本·元代

6. 大　口

大口是相对于器物本身来说口部大小的概念，但判断主要是以视觉为标准，没有尺寸意义上的标准。

鉴定要点：

（1）从器形上鉴定：大口的中国古代黑瓷，器物造型选择十分广泛，如碗、壶、盘、碟、罐等都有见，其中以碗、盘、碟的数量为显著特征（图 1-124、图 1-125）。

（2）从衍生性上鉴定：大口的衍生性实际上非常强，这与中国古代黑瓷是一个巨大的民间窑场，产品需要不断地进行调整有关。

（3）从功能上鉴定：中国古代黑瓷当中大口的造型在功能上十分明确，就是以实用为主，装饰性的功能比较微弱（图 1-126）。

（4）从流行程度上鉴定：大口的黑瓷流行程度比较广，在造型上各个时代都有见。鉴定时应注意分辨。

图 1-124　大口黑瓷碗·宋代

图 1-125　大口黑瓷碟·明代

图 1-126　大口黑瓷碗·明代

7. 小　口

中国古代黑瓷小口者常见，主要以视觉为判断标准，多为圆口。

鉴定要点：

（1）从器形上鉴定：中国古代小口黑瓷在造型的选择上多有特定的器物，通常以瓶、盂、壶、鸡首壶、罐等为常见（图 1-127）。像碗、盘、碟等小口造型的可能性极小。

图 1-127　小口黑瓷瓶·明代

（2）从衍生性上鉴定：小口在造型的衍生性上不是很强。鉴定时应注意分辨。

（3）从功能上鉴定：中国古代小口的黑瓷在功能上以实用为主，兼具装饰性。如宋代小口黑瓷瓶比较多，这些小口瓶其实是酒瓶（图1-128），但看起来非常漂亮，整个器物造型溜线感非常好。

（4）从流行程度上鉴定：中国古代黑瓷的小口造型贯穿于黑瓷始终。从使用阶层上看，无论宫廷还是市井上都有使用。从地域上看，在当时"通销全国"，今天各地都有发现。

8. 子母口

子母口就是由子口和母口组成，二者可以相互扣合（图1-129）。

鉴定要点：

（1）从器形上鉴定：中国古代黑瓷子母口的造型，以盒、罐、杯、壶等为常见，从比例上看主要以盒和罐为显著特征。

（2）从衍生造型上鉴定：中国古代黑瓷子母口衍生性比较弱，很少见到有衍生的情况。这主要是受到其功能性特征的影响所致。

（3）从功能上鉴定：中国古代黑瓷子母口在功能上特征十分明确（图1-130），主要以实用为主，兼具有装饰的功能。

（4）从流行程度上鉴定：中国古代黑瓷子母口的器皿流行程度非常广，贯穿于整个黑瓷史，全国各地都有见。从流行阶层上看，无过于规律性的特征。

图 1-128　小口黑瓷酒瓶·宋代　　图 1-129　子母口黑瓷盒·唐代

图 1-130　子母口黑瓷盒·唐代

图 1-131　撇口黑瓷碗·宋代

9. 撇　口

撇口即在敞口或平口的基础上，口部有一个明显的向外撇的过程（图 1-131）。我们的视觉可以看得很清楚。

鉴定要点：

（1）从器形上鉴定：中国古代黑瓷撇口的造型有见，由此可见，在器物的选择上以瓶、执壶、罐等为常见，从绝对数量上看，以碗为最常见。

（2）从衍生造型上鉴定：中国古代黑瓷撇口的造型在衍生性上十分丰富（图 1-132），如微撇口、撇口较甚、撇口微向外卷、花形撇口等都有见。

（3）从功能上鉴定：中国古代黑瓷撇口在功能上十分明确，主要以实用为主，兼具有装饰的功能，实用与装饰的功能结合得比较紧密。

（4）从流行程度上鉴定：中国古代撇口黑瓷时代特征不是很明显，各个时代都有见。不同阶层和不同的地方的人群都在使用（图1-133）。

图 1-132　撇口黑瓷碗·明代

图 1-133　盘形撇口黑瓷壶·唐代

图 1-134　喇叭口黑瓷瓶·明代

10. 喇叭口

　　在中国古代黑瓷中，喇叭口的造型常见（图1-134），看起来具有相当的视觉震撼力。

　　鉴定要点：

　　（1）从器形上鉴定：中国古代黑瓷喇叭口的造型在器形上多选择壶、罐、瓶、执壶、炉等，较为广泛。在时代上以唐宋为主。

　　（2）从衍生造型上鉴定：可以衍生成大喇叭口、小喇叭口、近喇叭口、喇叭口外侈、喇叭口微撇等。总之，喇叭口在衍生造型上十分丰富。

　　（3）从功能上鉴定：喇叭口显然是在有意夸张口部造型（图1-135），目的是为了吸引人们的眼球，有以装饰为先导的明显倾向。

　　（4）从流行程度上鉴定：喇叭口的造型是中国古代黑瓷史上的一朵奇葩，但各个历史时期都有见。地域性特征并不明显，各个阶层和地区都有使用。

图 1-135　喇叭口黑瓷瓶·宋代

11. 盘 口

盘口从外表看很像盘子的造型，判断的标准主要是视觉（图1-136），口部只是写意性比较强，只是形似盘而已。

鉴定要点：

（1）从器形上鉴定：盘口较多的集中在罐、壶、瓶等器皿之上，以盘口壶最为常见，六朝和唐代最为常见。

（2）从衍生造型上鉴定：盘口的衍生造型微观上看比较丰富，幅度比较小。

（3）从功能上鉴定：盘口在功能上主要以装饰为先导，装饰和实用的功能紧密地结合在一起（图1-137）。

（4）从流行程度上鉴定：黑瓷盘口造型在流行程度上非常之广，以民间使用为主。

图 1-136 盘口黑瓷壶标本·唐代

图 1-137 黑瓷盘口壶·唐代

图 1-138 尖唇黑定茶盏·宋代

二、唇　部

（1）从种类上鉴定：中国古代黑瓷常见的唇部造型主要有圆唇、方唇、尖唇、尖圆唇、卷唇、折唇、平唇、厚唇、薄唇、敛唇、撇唇等（图 1-138）。在这些造型之下还可以有许多衍生性的造型，如卷唇就可以衍生出微卷唇、弧卷唇、卷圆唇等。由此可见，中国古代黑瓷唇部造型十分丰富。

（2）从数量上鉴定：黑瓷总的来看以圆唇和尖圆唇为主，敛唇和平唇所占的比例很小。

（3）从形制上鉴定：中国古代黑瓷在形制特征上并不复杂，尖唇、尖圆唇、厚唇、薄唇的造型都有见（图 1-139），形制上给人的感觉比较直观，为视觉上的盛宴。

（4）从器形上鉴定：中国古代黑瓷唇部在器物造型选择上不同（图 1-140）。如圆唇常选择碗、钵、盘、壶、瓶等器物，方唇多用于的造型是盆、壶、罐、灯盏等。

图 1-139 圆唇黑釉瓷碗·宋代

图 1-140 尖唇黑釉瓷灯·明代

图 1-141 圆唇黑瓷注·唐代

（5）从功能上鉴定：中国古代黑瓷唇部在功能上较为明确，以实用为主，兼具装饰的功能。

三、沿　部

（1）从种类上鉴定：中国古代黑瓷在沿部造型种类上比较丰富，常见的主要有折沿、平沿、敞沿、卷沿、敛沿、厚沿、撇沿、薄沿、花口沿等。其衍生性比较强，如平沿可以衍生成平折沿、近折沿、平沿下折、宽折沿微向上撇等的造型（图 1-142），基本上每一种沿部造型都有一定程度的衍生性。由此可见，黑瓷沿部造型系列十分庞大。

（2）从数量上鉴定：中国古代黑瓷沿部造型局部具有均衡性，如平沿、折沿、花口沿等在比例上都具有均衡性特征（图 1-143），但从总量上看，主要还是以厚沿、平沿、折沿为多见。

图 1-142 折沿近平黑瓷罐·宋代

图 1-143 喇叭形外撇沿黑瓷执注·唐代

图 1-145　大撇沿黑瓷注·唐代

（3）从形制上鉴定：中国古代黑瓷沿部造型形制特征比较直观，如平沿的造型很直观就可以看出来（图 1-144）；宽沿看起来很明显。其沿部也可以随意拆分组合，如折沿、平沿、甚至宽沿的造型往往相互融合在一起，共同组成沿部造型。

（4）从器形上鉴定：中国古代黑瓷沿部造型在器形的选择上比较丰富。首先我们可以看到很多器物都有沿部，如碗、炉、盘、灯、注、唾壶等都有见（图 1-145），只是比例不同而已。如平沿多在香炉、钵、瓶、盆、壶等造型上表现；花口沿以瓶、盏托等为多见。

（5）从功能上鉴定：中国古代黑瓷沿部造型在功能性特征上非常的复杂，其主流是以实用为先导，如盆的沿部便于端拿等。同时兼具装饰性的功能（图 1-146），如花瓶的花口沿，目的显然就是为了吸引人们的眼球，服务于装饰性的需要。

图 1-144　外撇沿黑瓷盘口壶·唐代

图 1-146　外撇沿黑瓷盏·宋代

图 1-147　鼓腹黑瓷瓶·元代

四、腹 部

　　（1）从种类上鉴定：中国古代黑瓷在腹部特征上种类繁多，常见的主要有鼓腹、折腹、弧腹、浅腹、曲腹、斜腹、圆腹、直腹、深腹、敞腹等（图 1-147）。而且其衍生性也比较强，如鼓腹可以衍生出微鼓腹、近鼓腹、扁鼓腹、大鼓腹等。其他腹部特征基本上也都是这样，或多或少地都可以衍生出一些造型。由此可见，中国古代黑瓷整个腹部造型十分丰富。

　　（2）从数量上鉴定：中国古代黑瓷的腹部特征在数量上并不均衡。总的来看，主要是受到时代、窑口等特征的限制（图 1-148）。

图 1-148　弧腹黑瓷碗·宋代

图 1-149 鼓腹较深黑瓷瓶·宋代

　　（3）从形制上鉴定：中国古代黑瓷腹部造型在形制上比较直观，鼓腹的造型看起来就是鼓起的腹部，弧腹的造型就是弧形的腹部。但是中国古代黑瓷作为一个具有浓郁民间性质的瓷器品类，一些难度过大的造型不多，如球形腹的造型基本不见。

　　（4）从器形上鉴定：中国古代黑瓷在腹部造型上有着相当大的差异性，而且有着融合性。如碗的造型可以融合深腹、浅坦腹等的造型，也可以融合斜腹、鼓腹、弧腹等造型（图 1-149）。另外，不同时代、不同窑口在这一点上也有不同表现。

　　（5）从功能上鉴定：中国古代黑瓷在功能上体现了实用与装饰性的结合，但结合的紧密程度主要是根据器物的精致程度不同来选择的（图 1-150）。

图 1-150 鼓腹黑瓷罐·唐代

五、底 部

（1）从种类上鉴定：中国古代黑瓷在底部特征上非常明显（图1-151），主要以平底为主，圜底为辅。圜底的衍生性不是很强，主要以平底的造型衍生性表现较为强烈，如大平底、小平底、平底内凹、平底微凸、脐形平底等都有见，这与中国古代黑瓷在历史长河中主要作为人们日常生活当中的用品有关。

（2）从数量上鉴定：中国古代黑瓷底部造型在数量上比较明确，主要是以平底的各种衍生性造型为主，在数量上基本上表现出均衡性的特征。

（3）从形制上鉴定：中国古代黑瓷底部特征在形制上比较明确，较为简洁明快（图1-152），以直观视觉为判断标准。圜底看起来就是像我们现在使用的锅底一样的造型；平底是平的。

图1-151 平底黑瓷碗·明代

图1-152 简洁明快的平底黑瓷瓶·明代

（4）从器形上鉴定：中国古代黑瓷不同的底部特征会选择相异的器形。如碗的造型所囊括的底部特征就众多，如小平底、大平底、底足内凹、底足微凸，还有较厚和较薄的底等都有见（图1-153）；但盏的造型，底部特征基本上都是小平底。

（5）从功能上鉴定：中国古代黑瓷底部造型在功能上比较明确，以实用和装饰的结合为显著特征。以平底的衍生性造型为主，如盆的底部注定是大平底，多数十分平（图1-154），突出了实用与装饰的需要。

六、足　部

（1）从种类上鉴定：中国古代黑瓷足部造型种类十分丰富，常见的就有圈足、花座足、尖状足、乳足、山字形足、兽足、蹄形足、卧足、饼足、玉璧足、玉环足等。其衍生性比较强，如圈足可以衍生成高圈足、矮圈足、宽圈足、窄圈足、喇叭状圈足、近饼形圈足、环状圈足等（图1-155），由此可见造型在总量上之丰富。

（2）从数量上鉴定：中国古代黑瓷以圈足的数量为最大，其他的数量非常少，而且较具均衡性特征。鉴定时应注意分辨。

（3）从形制上鉴定：中国古代黑瓷在漫长的历史中形成了众多的足部造型，从形制上比较直观，主要以人们的视觉为判断标准（图1-156）。

图1-153　平底较厚黑瓷罐·唐代

图1-154　大平底较平衍黑瓷标本·金代

图 1-155　圈足黑瓷双系罐·金代

（4）从器形上鉴定：中国古代黑瓷不同的足部造型在器形的选择上区别不是很大，特点是不同器物造型对于足部造型的选择不同。如炉多选择支足；而碗、盘、碟、盏、钵，等等，多以各种各样的圈足为显著特征。

（5）从功能上鉴定：中国古代黑瓷足部造型在功能上特征明确，以实用为主导，兼具装饰的功能（图 1-157）。如在唐代将一些黑瓷碗的足部做成玉璧足的造型，看起来极为精致，显然是实用与装饰性的功能结合得比较紧密。

图 1-156　矮圈足较宽黑瓷双系罐·宋代

图 1-157　喇叭形圈足黑瓷灯·明代

第八节 纹 饰

　　中国古代黑瓷纹饰有见（图 1-158），但并不以纹取胜，而是以釉质和造型取胜。所以，中国古代黑瓷在纹饰上表现较为黯淡。

　　鉴定要点：

　　（1）从题材上鉴定：中国古代黑瓷纹饰在题材上主要是一些几何纹、花卉、草叶，以及动物纹等为常见。这些题材显然没有过于宏大的场面。几何纹多以弦纹、线条纹为主，弦纹多是一周、两周，以及多周弦纹在器物不同部位的组合（图 1-159）；花卉纹也比较简单，往往是寥寥几笔勾勒出一幅画面，装饰性为主，写实性也不是很强。由此可见，中国古代黑瓷当中的纹饰在题材上并不丰富。

图 1-158　凸弦纹黑瓷瓶·宋代　　图 1-159　剔花黑瓷瓶·金代　　图 1-160　构图讲究的对称弦纹黑瓷瓶·宋代

图 1-162 剔花黑瓷瓶·元代

（2）从构图上鉴定：中国古代黑瓷在纹饰构图上简洁明快，极具民窑风格。讲究对称，构图合理性很强（图 1-160），即使在最简单的纹饰之上也是这样，模糊不清的情况基本不见。讲究相互映衬，通过图案相似性或者差异性的特点来制造出有限映衬性的对比。从精致程度上看，精致瓷器上很少见到纹饰，出现纹饰的中国古代黑瓷多是普通和粗糙的瓷器。

（3）从线条上鉴定：中国古代黑瓷纹饰线条流畅、刚劲有力（图 1-161），粗线条勾勒比较多。绝大多数黑瓷都没有纹饰，但是一旦有纹饰，中国古代黑瓷，工匠也是十分认真，基本上没有发现线条绵软无力现象。

（4）从饰纹方法上鉴定：中国古代黑瓷在饰纹方法上比较丰富，刻、划、浮雕、剔等都有见（图 1-162）。刻画较为常见，剔花有见，印花等最少见。可见在装饰纹饰方法上存在着不均衡性的特征。

图 1-161 线条刚劲有力的黑瓷瓶·金代

　　（5）从饰纹部位上鉴定：中国古代黑瓷在装饰纹饰部位上特征很明确（图1-163），就是以视觉显著观察到的地方为特征，有以纹饰遮掩工艺粗制的特征。鉴定时应注意分辨。

　　（6）从功能上鉴定：中国古代黑瓷纹饰在功能上特征鲜明，主要是以装饰为主，以期达到良好的视觉效果，提高黑瓷在市场上的竞争力（图1-164）。由此可见，纹饰只是黑瓷实用功能的陪衬，实用与装饰的功能极不对等。

图1-164　鸟纹黑瓷瓶·元代

图1-163　腹部装饰弦纹黑瓷罐·清代

第二章 白 瓷

第一节 综 述

一、数 量

白瓷是中国古代最主要的日用瓷，墓葬和遗址内都有见，总量比较大。从窑口上看，以邢窑和定窑白瓷为主。从时代上看，唐、宋、元、明、清等各个朝代都有见（图2-1、图2-2），在数量上是一个递减的过程。

图 2-2 白瓷双系罐·宋代

二、品 相

中国古代白瓷遗留到今天的既有完好无损、品相极优者（图2-3），更有残缺不全、损失严重者。

图 2-1 白瓷盒·唐代

图 2-3 完好无损白瓷罐·唐代

从数量上看，品相好的白瓷多出土在墓葬当中。残缺的器皿与精致者相比，数量众多，以窑址和古城遗址出土为主（图2-4）。遗留到今天的白瓷虽多，品相优的完整器在总量上却很少，所以对于白瓷的收藏应该以品相好的精品为主，保值和升值的潜力较大。普通甚至是粗糙的白瓷，只要品相好，也具有较强的收藏价值，保值和升值的功能较强。

三、胎　色

白瓷在胎体色彩上异常复杂，常见的胎色就有白胎、橙色胎、灰胎、灰褐胎、褐胎、黄胎、橙黄胎、红胎等（图2-5）。由此可见，其胎色种类繁多。胎色直接可以反映出白瓷品质的优劣，如邢窑精致白瓷胎色以白胎为主，色彩十分纯正，意味着在选料和淘洗等诸多方面精益求精。随着色彩纯正程度的下降，如橙色胎、土黄胎、红胎、紫红胎等胎色的出现，白瓷在精致程度上也是在逐渐下降，呈现出的是正比的关系。读者在鉴定时应反复进行对比，以打开胎色鉴定的法门。

四、釉　色

白瓷以釉色取胜，其釉色是一个综合的复杂体，并不像它的名字那样单纯。常见白釉色彩主要有纯白、灰白、鸡骨白、乳浊白、象牙白、猪油白、青白、月白等。当然这些都是一些基本色调（图2-6）。在这些基本色调之下，还有其更为复杂的衍生色彩，如白釉泛黑、白釉泛黄、白中泛青、白中微泛青、白中泛青灰等，这些衍生色彩最为繁杂，可以达到几十种，从理论上讲也是无限的。当然白瓷色彩的复杂性，主要体现在不同时代、不同窑口上。

图 2-4　残缺的白瓷盘·宋代

图 2-5　灰褐胎白瓷碗·唐代

图 2-6　鸡骨白釉瓷碟·宋代

图 2-7　"类雪似玉"的白瓷碗·唐代

五、窑　口

　　白瓷窑口特征鲜明。隋代烧制成功，但无专有窑口。入唐后迅猛发展，形成了著名的邢窑。邢窑窑址在今天河北省的内丘、临城一带，并以此为中心向外扩散。其产品在当时迅速"通销天下"，形成了"南青北白"的地域瓷业格局。邢窑产品以"类雪似玉"而著称（图2-7），温润之极。产品分为精致、普通、粗糙3个等级，胎釉较厚，成本较高。在盛唐社会物质文化的支撑下，邢窑白瓷显得气度非凡，以极低的价格销售于大河上下、大江南北。然而，邢窑也是脆弱的，盛唐的气象并不长久，随着盛唐社会的衰落，邢窑白瓷难以支撑，至五代末基本上已经停烧。至北宋时期，邢窑逐渐被一个名不见经传的小窑场——曲阳窑所代替。北宋时期的曲阳窑迅速发展壮大，形成了继邢窑之后又一个著名的窑场——定窑。定窑的崛起是在总结了邢窑失败的原因，以及吸取了邢窑白釉众多优点的基础之上对邢窑白瓷改革的成果，如在白瓷烧造质量不变的情况下将胎釉变薄，极力降低成本，同时也使定窑白瓷形成了自己的风格（图2-8），将过去人们认为是缺陷的薄釉和薄胎变成了一种沁人心脾的美的集聚。

图 2-8　定窑白瓷碗·宋代

图 2-9　实用与装饰兼具的白瓷盒·唐代

定窑产品获得了人们的青睐，宋元时期大量烧造，并且形成了巨大窑系，地域进一步扩大至全国。明清时期，白瓷虽然受到青花瓷的影响，退出了主流市场，但在中国广大的农村，定窑白瓷的影响依然存在。直到现在，这种影响都还存在。由此可见，定窑白瓷对于中国瓷业的影响是深远的。

六、功　能

白瓷在功能上十分明确，以实用为主，兼具有装饰的功能（图2-9、图2-10），一些特别精致的白瓷还兼具有陈设、装饰，甚至是把玩的功能。但白瓷主要的功能显然是作为人们日常生活的用具，如白瓷碗是人们每日使用的进食器；白瓷盒盛放脂粉及贵重物品。由此可见，白瓷在人们的生活中功能是细化的。其主要特征是根据器物精致程度的不同所盛放物品的珍稀程度而有所变化。本书试析了不同条件下的这些白瓷的功能。相信它们将会对读者有所帮助。

图 2-10　实用与装饰兼具的白瓷碗·宋代

图 2—12 洁白胎白瓷标本·宋代

第二节 胎 质

一、高岭土胎

中国古代白瓷多以高岭土为料（图 2-11），这是由高岭土延展性好、坚固、不变形等诸多优点决定的。

鉴定要点：

（1）从胎色上鉴定：不同精致程度的高岭土胎所对应的胎色各异（图 2-12）。

（2）从时代上鉴定：白瓷高岭土胎在唐宋时期达到巅峰状态；金元时期有所衰落；明清时期比元代略好一些。

（3）从窑口上鉴定：唐代邢窑和宋代定窑的白瓷达到最高水平（图 2-13、图 2-14），穿越时空遥相呼应，共同将中国古代白瓷的高岭土胎精致程度推向巅峰。元代诸窑口在高岭土胎的使用上有明显下降。

（4）从精致程度上鉴定：高岭土选料的优良程度与白瓷的精致程度息息相关，可以分为优质、普通、粗质 3 种，并与白瓷的精致程度相对。

图 2—11 高岭土白瓷标本·宋代　　图 2—13 邢窑精致高岭土胎体横截面·唐代　　图 2—14 定窑优良高岭土料白瓷标本·宋代

二、黏土料

黏土是硅酸盐材料的一种，包括细泥料、泥质料、夹砂料、夹云母料、夹蚌料等，白瓷中常见（图 2-15）。

鉴定要点：

（1）从胎色上鉴定：黏土在色彩上有一定程度的局限性，基本上被限定在橙色、黄褐、土黄、灰褐等色彩范畴。

（2）从时代上鉴定：白瓷黏土胎贯穿于白瓷生命始终（图 2-16）。但是，黏土胎并不是粗糙胎体的代名词，不同时代都有一些精细的黏土胎。

（3）从窑口上鉴定：没有过于规律性的特征，著名的邢窑白瓷也有黏土胎者，同样定窑白瓷中也是这样，因此，黏土胎使用可能主要与成本有关，而与其他关系不大。

（4）从精致程度上鉴定：白瓷黏土胎在精致程度上精致、普通、粗糙者都有见，但主要以普通和粗瓷为显著特征。

图 2-16 黏土胎白瓷标本·宋代

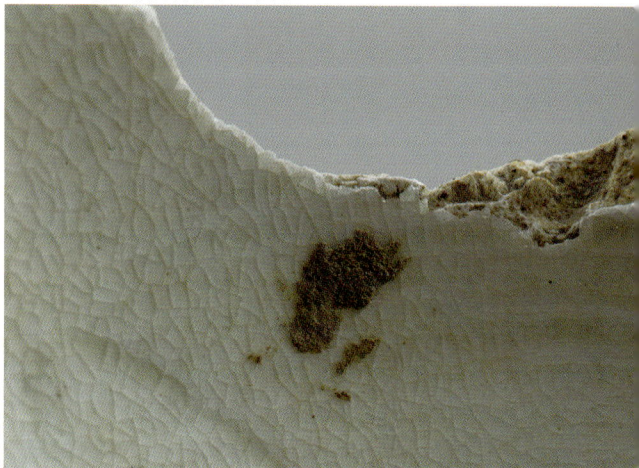

图 2-15 黏土料白瓷标本·唐代

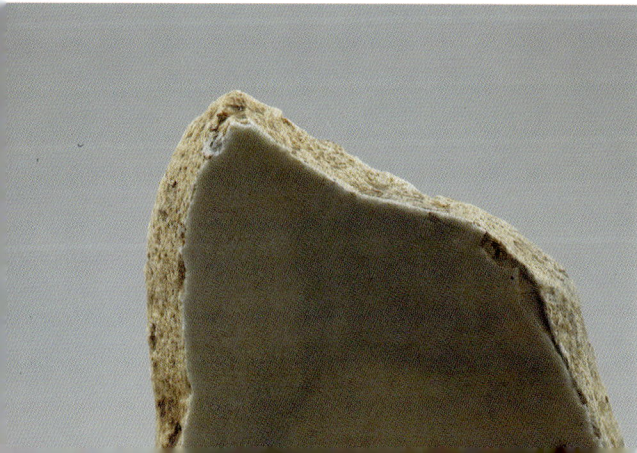

三、淘 洗

淘洗是在选料之后的一道必需的工序，中国古代白瓷胎体的淘洗特征鲜明，以精益求精为显著特征。

鉴定要点：

（1）从胎色上鉴定：淘洗与胎色有密切关联，胎色匀净者精炼（图2-17），随着胎色的偏离和串色的出现，精致程度逐渐降低。

（2）从原料上鉴定：原料与淘洗的关系较为密切，通常优质料淘洗精炼，普通和粗糙高岭土料在淘洗上则有不同程度的下降。

（3）从时代上鉴定：唐代白瓷在淘洗上达到极致，特别是邢窑白瓷在淘洗上异常精炼；宋代定窑也达到了一个比较高的水平（图2-18）；元代逐渐向粗质化的方向发展；明清时期普遍表现不是太好。

（4）从窑口上鉴定：白瓷淘洗以邢窑为最；宋代次之。鉴定时应注意分辨。

（5）从精致程度上鉴定：淘洗与白瓷的精致程度有密切关系，精致白瓷为淘洗精炼者，普通和粗糙白瓷基本上也是以胎体精炼为主。

图2-17 淘洗精炼的花卉纹白瓷标本·宋代

图2-18 淘洗精炼的白瓷盘·宋代

图 2-19 洁白胎白瓷碗·唐代

图 2-20 白胎邢窑雪白釉瓷器标本·唐代

四、胎 色

中国古代白瓷在胎色上具有鲜明特征,常见的主要有白色、灰白、青色、褐色、青灰、红褐、砖红、深灰、暗红、黄褐等胎色(图 2-19),可见衍生色彩也是比较丰富。

1.白 胎

白瓷白胎常见,墓葬和遗址基本都有出土,规模巨大。

鉴定要点:

(1)从胎色上鉴定:并非白色一般的色彩,单色范畴,较纯正,稳定性好(图 2-20)。

(2)从造型上鉴定:几乎涉及所有造型,如碗、盘、碟、壶、罐、瓶、执壶等都有见。

(3)从时代上鉴定:贯穿于白瓷生命始终,上流社会、市井之上兼有之。

(4)从窑口上鉴定:白胎以著名的邢窑白瓷为最常见(图 2-21);宋代定窑当中也是以白胎为主,但数量不及盛唐。

(5)从精致程度上鉴定:白胎与精致程度的关系不明确,可以说精致、普通、粗糙者都有见。

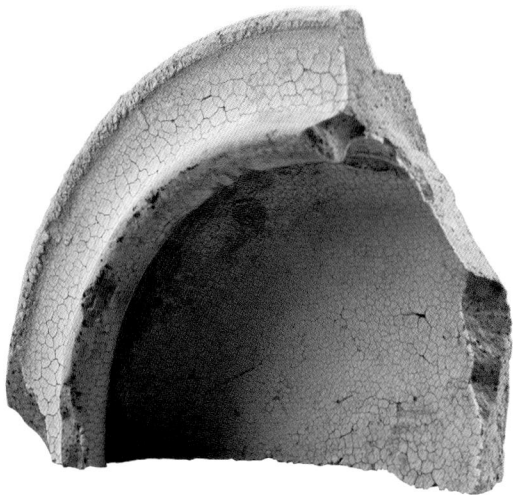

图 2-23 白胎泛灰较粗白瓷盒盖·唐代

2. 白胎泛灰

白瓷白胎泛灰是一种复合色彩，色彩稳定，具有独立性（图 2-22），显然已经形成了一种新的色彩类别，总量还是比较大。

鉴定要点：

（1）从胎色上鉴定：白色与微微泛出的灰色完美地融合，已不可分离，色彩稳定性较好。

（2）从时代上鉴定：白胎泛灰的瓷器在时代特征上比较明确，各个历史时期都有见，但精品都很少见。

（3）从精致程度上鉴定：白胎泛灰的白瓷与精致程度的关系明确，以普通和粗糙白瓷为主（图 2-23），特别是以粗糙的白瓷之上为多见。精致瓷器基本不见。

（4）从窑口上鉴定：白胎泛灰的白瓷不同时代的窑口中都有见，没有过于规律性的特征。

图 2-21 邢窑白胎雪白釉色标本·唐代

图 2-22 白胎泛灰瓷器标本·宋代

图 2-24 砖红胎白瓷标本·明代 　　　　　　图 2-25 红褐胎白瓷标本·五代

中国古代白瓷在相近性上，特征十分鲜明。

白胎—白胎泛灰

橙红胎—橘红胎

砖红胎—红褐胎

这些色彩之间存在着相当程度的相近性，需仔细观察才能分辨（图2-24、图2-25）。但这种相近性也是有选择的，如果我们毫无选择，显然是不可能出现以上对应色彩的。由此可见，只能说在中国古代白瓷胎色中存在着相近性的特点。

从色彩差异上看，中国古代白瓷胎色处于不同的色彩阶段，差异性比较大。

白胎—橙红

灰白—黑褐

观察这些色彩，白色和橙红几乎是对立的色彩，这么大的色彩差异（图2-26、图2-27），似乎令人难以接受，但这的确是客观存在的现实。

图 2-26 白胎雪白釉瓷器标本·唐代 　　　　图 2-27 橙红胎玉璧足白瓷碗·唐代

五、略粗胎

中国古代白瓷中经常看到一些介于细胎和真正粗胎之间的胎体，这类胎体多数有一些明显缺陷，称略粗胎（图2-28）。从概念上看，中国古代白瓷并没有豪放之感，只是某一些方面有缺陷，如杂质、胎色等，但不会是所有的缺点都集中在一件器物之上，而是分散存在，局部体现。在时代特征上略粗胎的白瓷各个时代都有见。但在数量上有区别，不是简单地看量，而要看比例。唐宋时期比例最小；其他时代比例较大。从精致程度上看，主要以普通和粗糙的白瓷为显著特征。

图 2-28　略粗胎白瓷标本·明代

图 2-29　有夹砂白瓷胎体·五代　　　　　　图 2-30　略粗胎邢窑白瓷标本·唐代

六、夹砂胎

　　中国古代白瓷胎体夹砂的情况有见（图 2-29），胎体上会有明显的沙砾，人们可以观察到有轻微夹砂和严重夹砂的情况，而且这两种情况基本上是等比例地存在，不能区分主次。这说明了一个现象，就是中国白瓷胎体并不避讳夹砂胎体的存在。但是从总量上看，夹砂胎的白瓷在总量上并不占优势。从色彩上看，夹砂胎在色彩上基本上以白、灰、褐等色彩为主，这是中国古代白瓷在夹砂上最为显著的特征。在精致程度上主要以粗糙的瓷器为主；普通的瓷器之上也有见；但与精致瓷器无缘（图 2-30）。

七、精细胎

　　中国白瓷精细胎的典型特点为，选料优良、淘洗精炼、胎色白皙、匀厚、细腻、致密等（图 2-31）。精细胎的白瓷具有时代性、窑口性、色彩性。

图 2-31　精细胎白瓷标本·唐代

图 2-32 精细胎 "雪白釉" 邢窑白瓷杯·唐代

（1）从时代性上鉴定：精细胎的白瓷主要在唐宋时期经常可以看到，而在早期和元、明、清时期都不是很常见。

（2）从窑口性上鉴定：中国精细胎白瓷在窑口特征上异常明确，就是以著名的邢窑白瓷为主要特征（图 2-32）。主要是以邢窑当中的精致白瓷为显著特征；宋代定窑当中精细胎的白瓷也有一定的量；而普通和粗糙的白瓷之上显然很少见。

（3）从色彩性上鉴定：精细胎的白瓷基本锁定在了白胎之上，其他的色彩也有见，但数量很少。白胎在色彩上异常的纯正，稳定性非常强。

（4）从数量上鉴定：中国精细胎的白瓷数量远低于同时期普通和粗糙白瓷（图 2-33）。

图 2-33 精细胎白瓷碗·唐代

图 2-35　瓷化程度较高的邢窑白瓷碗·唐代

图 2-36　杂质明显的白瓷标本·宋代

八、略厚胎

中国古代白瓷在胎体上多数略厚（图 2-34），从数量上来看，几乎占到整个中国古代白瓷厚度特征的大部。从概念上看，这个厚度比厚胎薄得多，比薄胎厚得多，不过显然不是尺寸上的标准，而只是视觉上的盛宴。典型的如唐代玉璧足的白瓷碗胎体几无过薄者。从时代上看贯穿于白瓷始终。从精致程度上看，精致、普通、粗糙的白瓷之上都有见。从窑场上看，不同时代的各大窑场都有见，并没有过于规律性的特征。

九、瓷化程度

中国古代白瓷在瓷化程度上普遍胎体完全被烧结，致密、坚硬，在瓷化程度上比较好。从概念上看，瓷化程度高的白瓷首先是烧造温度特别高，胎体已经完全烧结；具有不吸水性，完好器皿敲击发出悦耳的金属声等特点（图 2-35）。从时代上看，隋、唐、五代及其他时代在瓷化程度上都比较好，这与白瓷实用器的地位有关。从精致程度上看，瓷化程度高的白瓷在精致程度上并没有明显的特征，可以说精致、普通、粗糙的器皿都有见，并且在数量上也呈现出均衡性的特征。鉴定时要注意分辨。

图 2-34　略厚胎邢窑玉璧足白瓷碗·唐代

十、杂 质

中国古代白瓷胎体杂质不可避免（图 2-36），这是由杂质本身的特性所决定的。从理论上看，任何胎体都不可避免地存在杂质。中国古代白瓷由于是人们日常生活当中的实用器，所以比较复杂，精致、普通、粗糙的情况都有见，在选料及淘洗上都比较复杂。因此对于中国古代白瓷而言，在胎体杂质上也是复杂的，可以分为 3 种情况：

（1）精致白瓷：中国古代白瓷中最为精致的白瓷在胎体上多匀净，基本看不到杂质的存在，但数量较少。

（2）普通白瓷：中国古代白瓷中经常可以看到胎体之上有星星点点的杂质颗粒（图 2-37），分布密集。

（3）粗糙白瓷：中国古代白瓷在杂质上颗粒比较大，十分明显，分布密集。在色彩上不是很匀净，是串色和偏色的主要原因，但主流色调不改变。鉴定时要注意分辨。

图 2-37 能够看到星星点点杂质的普通白瓷标本·明代

图 2-38　胎体明显的有气孔白瓷碗足·明代

图 2-40　胎质细腻高岭土料白瓷横截面·唐代

十一、气　孔

中国古代白瓷胎体有气孔的情况有见，墓葬和遗址当中都有见（图 2-38）。不过从总量上看，有气孔的胎体不占据优势。从概念上看，气孔是由于胎体的疏松，烧造时温度过高而形成。气孔的出现是一个综合的过程，与选料、淘洗、做工等诸多工序有关。所以，在哪个方面出现了问题都会形成气孔。从这一点上看，白瓷出现气孔的情况也是十分常见。但对于精致、普通、粗糙白瓷而言，气孔显然不同。精致白瓷基本上有效杜绝了明显的胎体气孔现象，胎体匀净者多见。而普通白瓷在胎体上多是有见气孔，但不很严重。粗糙白瓷有气孔的现象比较严重，气孔比较明显，分布较为集中，形状不一，开裂状态严重。鉴定时应注意分辨。

十二、规　整

中国古代白瓷胎体在规整程度上以规整为显著特征。从发掘情况来看，遗址和墓葬中经常出现。墓葬出土基本为规整器皿（图 2-39）。从概念上看，中国古代白瓷的规整无法从几何测量来获取，判断的标准只能是视觉，因此白瓷的规整程度显然是一场视觉

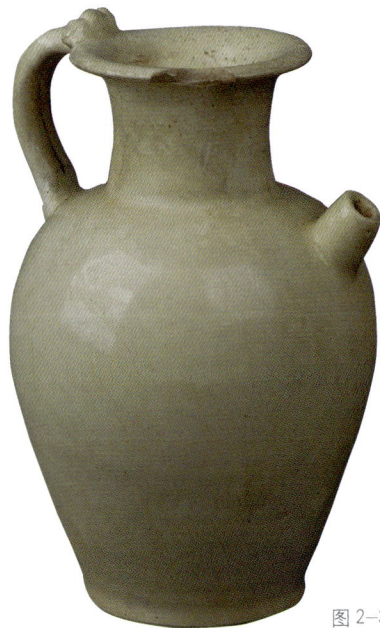

图 2-39　造型规整的邢窑白瓷执壶·唐代

图 2-41　胎体细腻邢窑白瓷碗·唐代

的盛宴。从时代上看，中国古代白瓷规整程度的时代特征不明显，分布较为均衡，从数量上都以偶见为主。从精致程度上看较为均衡，精致、普通、粗糙者都有见。鉴定时应注意分辨。

十三、细　腻

　　中国古代白瓷胎质普遍较为细腻（图 2-40）。从细腻的程度上看与淘洗有着密切关系。淘洗遵循的原则是精益求精。如邢窑白瓷中无论是精致、普通，还是粗糙的白瓷在淘洗上都是十分精炼，这是中国古代白瓷胎体细腻的主因素。从精致程度上看，细腻胎体是精致、普通瓷器的主流，而粗糙瓷器在胎体上则表现得不是太好。从时代上看，古代白瓷细腻的胎体在时代特征上比较明显，以盛唐文化为核心。其他时代也常见，但显然没有邢窑白瓷那样的淋漓尽致。从窑口上看，以著名的邢窑精致白瓷为显著特征（图 2-41）；定窑白瓷当中也有见，但数量相对来讲有限。从造型上看，没有过于复杂的规律性特征。基本上除了一些大型盛储器之外的各种器物造型都有可能见到。鉴定时应注意分辨。

十四、疏 松

中国古代白瓷中胎体疏松者有见。我们来看一则江西会昌发现晚唐至五代墓葬的实例："五代瓷碗，胎质灰白而松"（池小琴，2001）。胎体疏松者从总量上不占主流地位（图2-42）。从成因上看，中国古代白瓷疏松胎体之所以会出现，与其温度、选料、淘洗等诸多因素有关。一个环节出了问题，都会造成胎体疏松的情况，我们在鉴定时要注意这种共生的关系。从精致程度上看，胎体疏松的白瓷与精致瓷器无缘；普通瓷器之上很少见；主要以粗瓷为显著特征。

十五、艺术品特质

中国古代白瓷在胎体之上表现出了其特有的艺术品特质，选料考究、淘洗精炼、瓷化程度高等（图2-43）。从视觉上看，胎体的横截面致密、匀净、匀厚、坚硬、洁白细腻，称得上精美绝伦。可以说，中国古代精致的白瓷已经符合艺术品"尽善尽美"的特征。如邢窑精致白瓷显然就达到了美的极致，是一种由内向外溢出的美。这反映了人们对于制作白瓷的一种内心赤诚的态度。从影响上看，无论是邢窑白瓷还是定窑都是巨大民窑。白瓷胎体的艺术品特征直接影响几个朝代的人，使得人们勤劳、善良，追求真、善、美的灵魂得到归宿（图2-44）。因此，中国古代白瓷在艺术品特质上显然是一种大众化的艺术。

图 2-42 胎体疏松的白瓷标本·唐代

图 2—43 "内外皆美"的白瓷盒·唐代

图 2—44 精美绝伦的白瓷葫芦瓶·唐代

第三节　完　残

一、完　好

中国古代白瓷中完好者常见（图2-45），但与白瓷总量相对比例太少了。由此可见，白瓷在完好程度上不是太好。从保存环境上看，主要以未经扰乱的墓葬为主，遗址之上很少见到。从时代上看，以宋元时期为多见，其他历史时期有见，但数量并不是太多。鉴定时我们应注意分辨。

二、残　缺

残缺的中国古代白瓷比较常见，主要分为严重残缺和轻微残缺两种情况。

（1）轻微残缺：轻微残缺的中国古代白瓷比较常见（图2-46），特别是口部少了一块、足部有磕碰等痕迹比较多见。这些都属于轻微残缺的范畴。轻微残缺一般可以复原，只有极个别的器皿不能恢复造型。从数量上看，中国古代白瓷轻微残缺的情况比较严重（图2-47），可以说到处都有见。从总量上看，轻微残缺在数量上显然是大于完好器。轻微残缺贯穿于白瓷始终，并无过于复杂化的时代特征。

图 2-45　完好无损的白瓷盒·唐代

图 2-46　口部微有残缺的白瓷碟·唐代

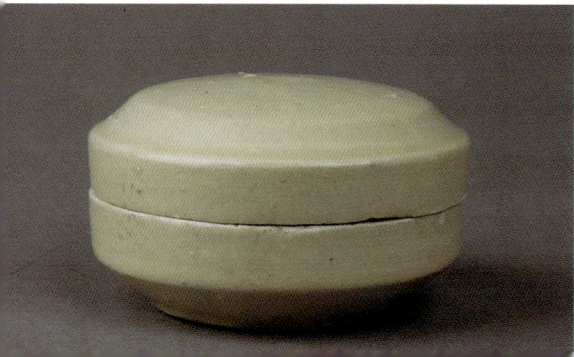

图 2-47 轻微残缺的白瓷碗·明代

图 2-48 可复原白瓷唾壶·唐代

（2）严重残缺：中国古代白瓷中严重残缺的情况较为多见。通常是成为碎片，所剩内容已不多。有的偌大的一个器物仅仅剩下了手掌心那么大的一块；或是仅仅剩下的是底足的一部分。这样的严重残缺对于白瓷而言是经常有见，有时一个遗址可以出土好几千件，在数量上占据着绝对的主流地位。

三、复 原

中国古代白瓷中可以复原的器皿常见。复原主要可以包含两个方面的内容：一是自然复原，简单讲就是一堆碎片，经过拼合修复后可以复原的器物造型，称之为自然复原；另外一种是模具复原。模具复原一般是指对于对称性器皿，如白瓷碗，万幸还剩下了口沿到腹部以及底足连接的标本。这样的器物即使是一个片状的状态，通过模具打模其完整的一面，也完全可以科学地复原其造型（图2-48）。从数量上看，这类器皿时常有见，但所见位置有着很大的不确定性。墓葬和遗址当中都有见，而且在总量上比较大。这样的复原器由于客观上研究和艺术价值的存在，自然就会有经济价值出现。因此，同样是中国古代白瓷市场的一个发展方向。从收藏的角度看，有一定的潜力。

四、裂 缝

中国古代白瓷中有裂缝的情况有见。裂缝的成因比较复杂，除了外力作用的结果外，一般情况下白瓷经受不住巨大的震动就会产生裂缝，从而使白瓷胎体分离。经过自然复原的白瓷，虽然经过拼接，但裂缝一般情况下不加掩饰。特别是考古修复和在博物馆中陈列，都是不加任何修饰，裂缝及拼接的过程都可以看得很清楚（图 2-49）。但商业修复显然就不是这样了，很多有裂缝的白瓷在修复时掩盖了裂缝，看起来完好无损。其实这是经过修复过的器皿，以次充好，来牟取暴利。鉴别的方法主要有两种：

一是听声音。完好的白瓷叩之可发出清脆悦耳的金属声（图 2-50），而如果有裂缝的白瓷声音听起来沉闷，二者区别明显。此方法通常人们使用较多。

二是做检测。对于一些特别珍贵的瓷器而言，最好的方法还是要做检测。这样就可以清楚地看到白瓷的内部结构，以及是否修复过。

图 2-51 微有变形白瓷罐·唐代

图 2-49 有裂缝的白瓷盖罐·唐代　图 2-50 完好无损的白瓷执壶·唐代

五、变　形

中国古代白瓷在造型技术上的成就是有目共睹的，烧造出了许多高难度的造型。如盒、瓶、托子、碗、盘、罐、盂、鸟食罐、俑等，将造型艺术发挥得淋漓尽致，达到尽乎完美的程度。但胎体变形的情况的确有见。在一些瓷器上，变形还是比较严重。当然这一点也很好理解，因为对于一个民窑来讲，成本和利润永远是瓷器不可逾越的法则（图 2-51）。不过这种情况非常少见。从整体上来看，中国古代白瓷不仅烧造技术高超，而且在烧造态度上近乎达到虔诚。对于每一件器物的烧造，从选料、淘洗到胎体厚薄设计、成型等诸多方面都是精益求精。所以在成型上几乎没有任何问题，很少发现中国古代白瓷在整体造型上有变形的情况，特别是在已销售的白瓷中几乎不见。有时，在窑址上经常发现一些变形的器皿，看来在当时已经作为残次品被处理了。从时代上看，没有固定化的特征，各个历史时期都有见。从窑口上看，著名的邢窑白瓷中很少见到变形的情况，多是一些小的窑场有见。从精致程度上看，中国古代白瓷的精致程度与变形现象从理论上讲有一定的关系（图 2-52），但是从实际出土器物来看，基本上以普通和粗糙的器皿为主，精致的瓷器之上基本不见。

图 2-52　微有变形的白瓷碗·宋代

六、土　蚀

中国古代白瓷土蚀的情况有见，从总量上看不占主流。从概念上看，土蚀的情况有深有浅。不能清洗掉的土渍通常定性为土蚀（图2-53），这一概念显然是宽泛的。从成因上看，中国古代白瓷上的土蚀主要是受到保存环境的影响。如在潮湿的环境中就容易起化学反应，形成各种不易清洗掉的土蚀。所以，土蚀的出现没有规律性可言。如果遇到保存好的环境，土蚀就不会出现；而如果遇到保存不好的环境，土蚀就会比较严重。从地域上看，中国古代白瓷土蚀这一缺陷以我国南方地区较为严重，如南京、上海等地。而北方地区的白瓷在土蚀上要好得多，如河北、河南、山西、陕西等地出土的中国古代白瓷，土蚀不是很严重（图2-54）。这一时期相当多的白瓷光洁如初，没有土蚀。从土蚀的程度上看也是这样，主要存在着南北方的区别。

七、磕　伤

中国古代白瓷磕伤者常见，磕伤的概念比较广泛，只要是磕碰形成的都可以归入其范畴。如口磕、足磕、腹部磕伤、沿部磕伤等（图2-55）。因此，从数量上看比较多见，以至于形成了从总量上看中

图 2-54　土蚀不是很严重的白瓷碗·五代

图 2-53　土蚀严重的白瓷碗·元代

图 2-55　有磕伤的白瓷盒盖·唐代

国古代白瓷品相优者数量极少的局面。从成因上看，中国古代白瓷磕碰形成的原因很简单，就是因为在生活当中实用的缘故，不可避免地要受到许多磕碰，但以轻微磕碰为主，严重磕碰的情况很少见。从精致程度上看，精致、普通和粗糙的瓷器之上都有见磕碰痕迹。因为磕碰是一种很难避免的缺陷，具有不可预见性，所以从本质上讲，磕伤没有规律可言，随时随地都有可能发生。

八、失　亮

失亮，从概念上比较容易理解，就是白瓷釉面失去亮光，或者是光泽受损（图 2-56）。这样的白瓷，在中国古代白瓷中有见，但数量并不多。从时代上看，各个历史时期都有见，并没有过于规律性的特征。从成因上看，一为窑内失亮，二是外力的作用。一般我们看到的失亮的情况都与窑内失亮有关，但是失亮的白瓷由于并没有影响到实用，所以这样的白瓷在当时显然也是被销售掉了。另外一种失亮则是遭人工腐蚀的失亮，这种情况目前市场上经常有见。为了使白瓷能够达到中国古代白瓷那种光泽淡雅的效果，使用了化学方法进行腐蚀，以削弱现代白瓷过强的光泽，结果导致整体的失亮。作假者不知这样做进一步暴露了其伪器的本质。

图 2-56　失亮的白瓷罐·唐代

第四节 釉 质

一、釉 色

图 2-57 雪白釉白瓷碗·唐代

1.雪白釉

雪白釉色的中国古代白瓷（图 2-57），墓葬和遗址内都有出土，为中国古代白瓷中的精品力作，只是数量较少。

鉴定要点：

（1）从色彩上鉴定："类雪似玉"，釉色如同皑皑白雪的颜色（图 2-58），是白瓷烧造在釉色上的巅峰，精美绝伦，使人犹入幻境。

（2）从时代上鉴定：雪白釉色的白瓷各个时代都有见，但主要以唐代为显著特征，其他时代的数量都非常少。

（3）从窑口上鉴定：中国古代白瓷窑口特征明晰，雪白釉是唐代邢窑白瓷的象征（图 2-59），其他窑口则很少见。

图 2-58 "如脂似玉"的邢窑玉璧足白瓷碗·唐代

（4）从光泽上鉴定：中国古代雪白釉色的白瓷通体闪烁着非金属的光泽，细腻、均匀、柔和、滋润，精美绝伦。

（5）从精致程度上鉴定：雪白釉的瓷器是白瓷中罕见的珍品（图2-60），以邢窑精致白瓷为显著特征，普通和粗糙瓷器当中很少见。其他窑口烧造的瓷器当中基本上也是以精致瓷器为显著特征。

图 2-59 邢窑雪白釉白瓷碗·唐代

图 2-60 虽略有残缺但精美绝伦的雪白釉白瓷碗·唐代

图 2-62 邢窑纯白釉瓜棱形瓷罐·宋代

2. 纯白釉

纯白釉在中国古代白瓷中常见，墓葬和遗址当中都有出土，但总量有限。

鉴定要点：

（1）从色彩上鉴定：纯白的色彩并非色版，而是视觉上的盛宴（图 2-61），色彩纯正，无偏色和串色等现象。鉴定时应注意分辨。

（2）从时代上鉴定：中国古代纯白釉的瓷器在时代特征上很明晰，各个历史时期都有见，但以唐代为最常见。

（3）从窑口上鉴定：中国古代纯白釉的白瓷在窑口上主要以邢窑为显著特征（图 2-62）。巩县窑也烧造有一些，但不能与邢窑相比。

（4）从光泽上鉴定：纯白釉的白瓷在光泽上更加光亮，但并不刺眼，而是非常的柔和（图 2-63），非金属的光泽浓郁。

（5）从精致程度上鉴定：中国古代纯白釉的瓷器在精致程度上并不复杂，基本上以精致瓷器为主，普通、粗糙的瓷器上也有见，但数量不是很多。

图 2-61 纯白釉瓷碗·宋代

图 2-63 纯白釉白瓷碗·宋代

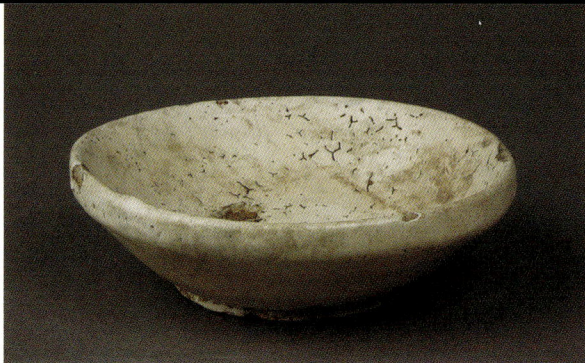

图 2-64 灰白釉瓷碟·唐代

图 2-66 光泽暗淡的灰白釉瓷碟·唐代

3. 灰白釉

中国古代灰白色的白瓷，墓葬和遗址内常有见（图 2-64），出土数量多为 1 到几件，看来在数量上占据不到主流地位，只是白釉瓷器众多釉色中的一种而已。

鉴定要点：

（1）从色彩上鉴定：灰白釉在色彩上不是很纯正，逐渐偏向了灰色，但在偏向灰色之后固定化，显然形成了一种独立的色彩类别（图 2-65）。

（2）从时代上鉴定：灰白釉的白瓷从开始就有见，直到我们现在都有见，在时代上也没有过于固定化的特征，各个时代都有见。

（3）从窑口上鉴定：灰白釉的瓷器在窑口上没有过于明显的特征。中国古代任何一个窑场都有可能出现灰白釉的白瓷，包括主烧白瓷的邢窑和定窑等。

（4）从光泽上鉴定：中国古代灰白釉在光泽上较为黯淡（图 2-66），色彩有一定程度的失亮，但看上去光泽柔和，多数通体闪烁着非金属的淡雅光泽。

（5）从精致程度上鉴定：中国古代灰白釉的瓷器在精致程度上主要以普通和粗糙白瓷为主，精致的白瓷在数量上很少见。鉴定时应注意分辨。

图 2-65 灰白釉瓷器标本·明代

4. 鸡骨白釉

鸡骨白釉的瓷器在中国古代白瓷中有见（图2-67），像鸡骨一样的白色（图2-68），精美绝伦，只是数量比较少而已。

鉴定要点：

（1）从色彩上鉴定：鸡骨白的釉色概念非常容易理解，工匠们的目的就是贴近生活，让瓷器的釉色变得有生气，所以与美食相联，使人们浮想联翩。

图 2-68　鸡骨白釉瓷盘·宋代

图 2-67　鸡骨白釉瓷碟·宋代

图 2-69 鸡骨白釉瓷碟·宋代

（2）从时代上鉴定：中国古代白瓷中鸡骨白瓷在时代特征上十分明显，主要是宋代比较常见（图 2-69），其他时代也有，但数量并不是很多。

（3）从窑口上鉴定：中国古代鸡骨白釉的白瓷在窑口上以定窑为常见，其他窑口也有见，但数量不是太多。

（4）从光泽上鉴定：中国古代白瓷中鸡骨白釉光泽鲜亮，油性光泽浓郁（图 2-70），多数通体闪烁着淡雅的非金属光泽。

（5）从精致程度上鉴定：鸡骨白釉的瓷器在精致程度上特征比较明确，主要以精致白瓷为主，普通和粗糙的瓷器上都有见，但数量很少。

图 2-70 鸡骨白釉瓷碟·宋代

图 2-72 乳白釉瓷器标本·五代

图 2-71 乳白釉瓷碗·五代

5. 乳白釉

乳白釉的瓷器墓葬和遗址当中都有见，总量有一定的规模（图2-71），为中国古代白瓷釉色中的重要品类之一。

鉴定要点：

（1）从色彩上鉴定：像乳汁一样的白色，故名为乳白（图2-72），民窑气息浓郁，具有亲和力，属单色的范畴，色彩纯正，精美绝伦。

（2）从时代上鉴定：中国古代乳白釉瓷在时代特征上主要以唐代为多见，宋、元、明、清等各时期都有见，只是在数量上较少。

（3）从窑口上鉴定：中国古代乳白釉瓷各个窑口都有见（图2-73），但主要以邢窑所见数量为多，其他窑口数量比较少。

图 2-73 "施半釉"白瓷碗·五代

（4）从光泽上鉴定：中国古代乳白釉瓷器光泽淡雅、温润，在弱光泽的照射下色彩柔和淡雅，使人犹如幻境。

（5）从精致程度上鉴定：中国古代乳白釉的瓷器精致者有见，但更多见的是普通和粗糙者。看来与精致程度的关系并不密切。

6. 猪油白釉

中国古代白瓷中猪油白者常见。墓葬出土多为 1～2 件，遗址出土数量多一些，在总量上有一定的量，但绝占不到主流地位。

鉴定要点：

（1）从色彩上鉴定：属单色范畴，色彩犹如猪油一般，"如脂如玉"（图 2-74），色彩纯正。这是一种非常名贵和难以烧造的色彩。著名的邢窑白瓷将其烧造成功，与美食相连，使人流连忘返，进入童话般的境界。

（2）从时代上鉴定：中国古代猪油白釉的瓷器具有鲜明的时代特征（图 2-75），以唐代为显著特征。隋代，包括以后的宋、元、明清时期都很少见。

（3）从窑口上鉴定：中国古代猪油白釉主要以邢窑生产为主，而且是邢窑当中最为精致的瓷器之一。普通和粗糙者有见，但数量很少。

图 2-74 如脂似玉的猪油白釉瓷器标本·唐代

图 2-75 猪油白釉标本·唐代

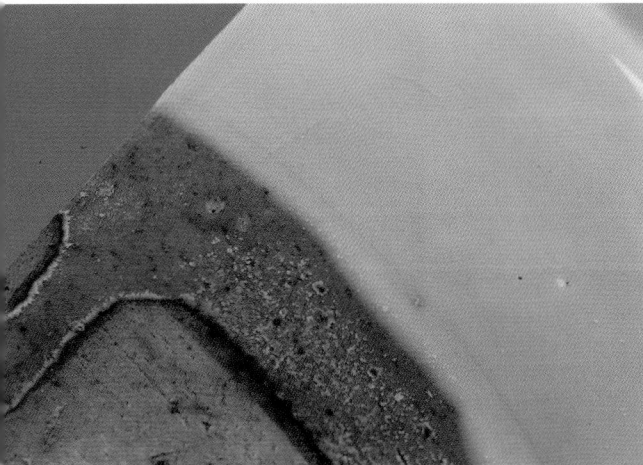

图 2-76　猪油白釉标本·唐代

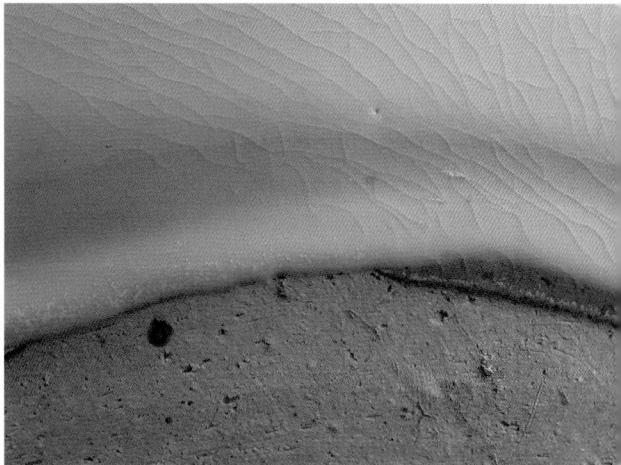

图 2-77　如痴如醉的猪油白釉瓷器标本·唐代

（4）从光泽上鉴定：中国古代猪油白釉在光泽上淡雅如脂（图2-76），温润的感觉油然而生，通体闪烁着淡雅的非金属光泽。

（5）从精致程度上鉴定：猪油白釉瓷器与精致程度的关系并不是很密切，以精致瓷器为主。普通、粗糙者都有见，但在烧造质量上往往存在问题，并不能达到真正意义上猪油白釉的水平（图2-77）。这种瓷器虽然多，但值得推敲。所以，真正意义上的猪油白釉主要是邢窑精致白瓷的象征。

7. 浊白釉

浊白釉的瓷器，墓葬和遗址中均有见，但在总量上有一定的量，不占主流地位。

鉴定要点：

（1）从色彩上鉴定：浊白釉顾名思义釉色浑浊（图2-78），而要达到这种效果釉质一定要肥厚，过薄的釉层不行，而是要稠密，通透性弱等。显然，邢窑符合这些条件，从而烧造出了浊白釉色，从色彩上看十分稳定，显然已经成为一种独立的色彩。

（2）从时代上鉴定：浊白釉具有鲜明的时代特征（图2-79），以唐代最为多见，其他时代也有见，但数量不是很多。

图 2-79　浊白釉盘口双系瓶·唐代

（3）从窑口上鉴定：中国古代浊白釉的一大特点就是窑口特征异常明确，以邢窑白瓷为主。也有一些窑场仿烧，但效果并不是特别尽如人意。

（4）从光泽上鉴定：中国古代浊白釉在光泽上淡雅柔和，非金属光泽浓郁，有一定的油性光泽，通体闪烁着淡雅的油脂性光泽（图2-80）。

（5）从精致程度上鉴定：中国古代浊白釉的瓷器与精致程度的关系并不是很密切，基本上精致、普通，甚至粗糙的白瓷上都有见。

图 2-78 浊白釉瓷罐·唐代

图 2-80 浊白釉花口瓷杯·唐代

8. 白釉泛黑

中国古代白釉泛黑的瓷器，墓葬和遗址当中偶见，在总量上有一定的量。从色彩上鉴定，属白釉衍生色彩，主色调很明确是白釉，只是这种色彩发生了衍生，伴随着黑釉的共生，但色彩显然已经是比较稳定。中国古代白釉泛黑的瓷器具有鲜明的时代特征，从绝对数量上看以唐、宋为主（图2-81），其他时代数量有限。但这与其他时代白瓷总量有限也有关系。从窑口上看，各个窑口基本上都有见，包括著名的邢窑和定窑白瓷当中都有见，并没有过于规律性的特征。从光泽上看，光泽淡雅、柔和、细腻，多数通体闪烁着淡雅的非金属光泽。在精致程度上，中国古代白釉泛黑与精致瓷器无缘；普通瓷器之上有见，但不是太多；基本上以粗糙瓷器为显著特征。

图2-81　白釉泛黑盒盖·唐代

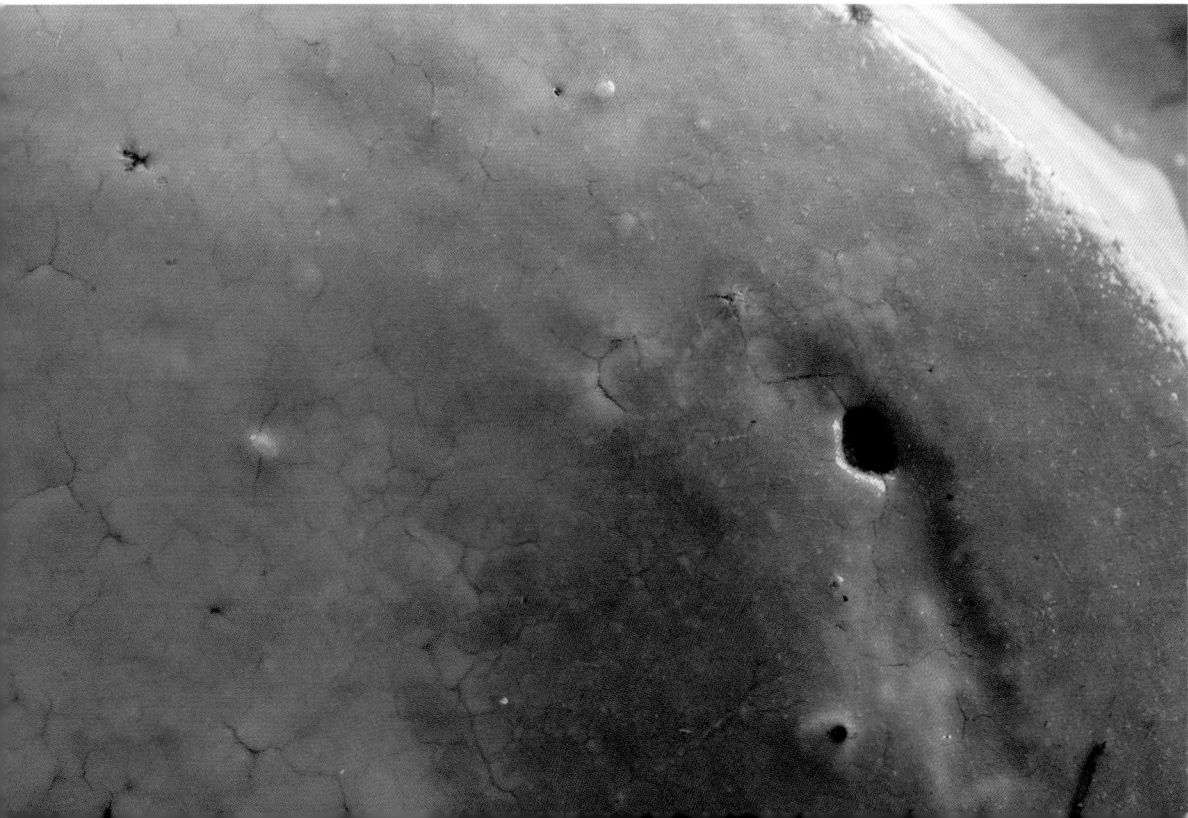

图 2-82　白釉泛灰瓷器标本·唐代

图 2-83　白釉泛灰瓷器标本·明代

9. 白釉泛灰

中国古代白瓷中白釉泛灰者（图 2-82），墓葬和遗址内都有出土，有一定的量，但绝不占主流地位。白釉泛灰的釉色是一种衍生色彩，主色调很明显还是白釉，只是灰度加大，而且比较明显，同时也很稳定，显然形成了一种新的色彩。从时代上看，中国古代白釉泛灰的白瓷时代特征异常的明显，各个历史时期都有见（图 2-83）。从窑口上看，邢窑和定窑在主流窑场当中很少见，以搭烧白瓷的窑场为显著特征。从光泽上看，白釉泛灰的瓷器在光泽上以淡雅为主，但绝不是暗淡。从精致程度上看，特征明确，中国古代白釉泛灰的瓷器与精致瓷器无缘，主要以普通和粗糙的瓷器为主。

图 2-84　有开片的白瓷盒盖·唐代

二、釉质特征

1. 开　片

中国古代白瓷当中有开片者十分常见（图 2-84），是瓷器釉面在烧造过程中出现的裂纹，无规律地排列着，从数量上看非常丰富。

鉴定要点：

（1）从形状上鉴定：白瓷开片形状无序，但从大致形状上看可以将其分为长条状、大开片、小开片、稀疏开片、细小开片等造型（图 2-85），但这些形状显然都不是经过控制而出现的，非常随意。由此可见，白瓷并不避讳釉面之上开片的存在。

（2）从时代上鉴定：中国古代白瓷有开片者特征并不明确，各个时期的白瓷之上都有见。从开片的程度上看也是大小不一，深浅程度不一（图 2-86）。

图 2-86　有开片的白釉瓷器标本·宋代

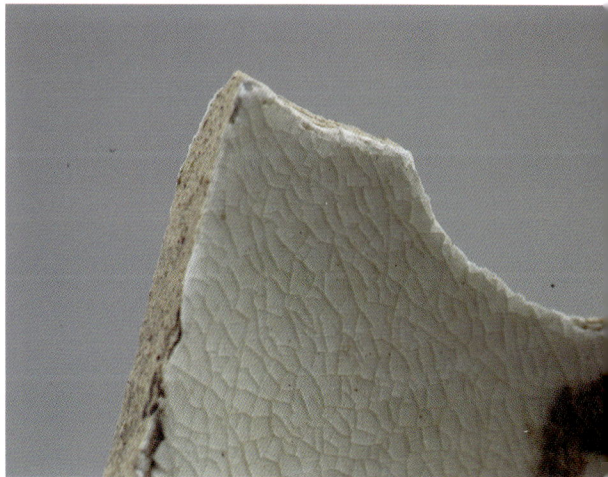

图 2-85　有细小开片的白瓷碗·五代

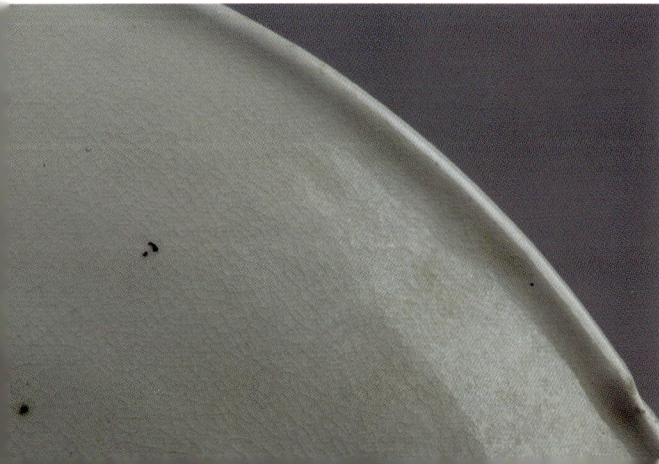

（3）从窑口上鉴定：没有证据表明邢窑和定窑对于白瓷开片的控制，因此白瓷开片在窑口上基本上没有过于规律性的特征（图2-87）。

（4）从精致程度上鉴定：白瓷开片与精致程度之间关系并不密切，精致、普通、粗糙的瓷器之上都有见（图2-88）。

2. 厚　薄

白瓷釉层厚薄之分较为明显，较典型的如邢窑白瓷釉层较厚，而定窑白瓷釉层稀薄，总体来看主要以薄釉为显著特征。

鉴定要点：

（1）从程度上鉴定：白瓷厚薄程度异常复杂，厚釉、较厚釉、较薄釉、薄釉的情况都有见（图2-89），看似一个发展的过程，但相互之间没有必然的联系。

图 2-89　较厚釉白瓷唾壶·唐代

图 2-87　有开片的白瓷标本·唐代

图 2-88　有轻微开片的白瓷标本·五代

图 2-90　较厚釉邢窑白瓷盒·唐代

图 2-92　普通邢窑较厚釉白瓷盒·唐代

　　（2）从时代上鉴定：不同时代的白瓷在釉层的厚薄程度上差异性很大，如隋代白瓷比较薄，而唐代则是比较厚（图 2-90），到了宋代又开始变薄（图 2-91）。元、明、清白瓷在釉层的厚度上基本上延续宋代，这种复杂的关系我们在鉴定时应注意分辨。

　　（3）从窑口上鉴定：在白瓷发展史上，不同窑场之间釉层的厚度有着差异性。如唐代邢窑白瓷较厚，而定窑则开始向薄的方向发展。这种窑口、窑系之间差异有时往往跨越几个时代，鉴定时应注意分辨。

　　（4）从精致程度上鉴定：白瓷的精致程度与厚釉和薄釉的关系密切，但多是在窑口限定下存在的。如唐代邢窑白瓷统一以厚釉为主，而不分精致、普通、粗糙者（图 2-92）。而宋代定窑白瓷中的薄釉也分不出精致、普通、粗糙。

图 2-91　较薄釉白瓷碗·宋代

3. 均　匀

均匀指的是白瓷釉层均匀的程度，可以分为釉层均匀和釉层不均匀两种状态。这两种情况在白瓷中都大量有见，墓葬和遗址当中都有出土。

鉴定要点：

（1）从釉质均匀上鉴定：白瓷釉层均匀的情况显然是其主流特征，绝大多数白瓷在釉层上都是均匀的（图2-93），釉层不均的情况有见，但显然不是主流。

（2）从釉质不均上鉴定：白瓷釉质不匀者常见，釉层不均与釉质黏稠，流动速度慢，容易形成堆积有着密切的关联。但从主流烧造白瓷的窑场来看，釉层不均的情况很少发生（图2-94）。主要以乡村窑场为多见。

（3）从时代上鉴定：白瓷釉质均匀程度在时代上特征很明显，各个历史时期基本上都是以釉层均匀为显著特征。而釉层不均匀的情况也多有见。

（4）从窑口上鉴定：不同的窑口在釉质均匀程度上的表现不是明显。这主要是由白瓷釉质不均具有偶发性和不确定性的因素所决定，所以没有过于规律性的特征。

（5）从精致程度上鉴定：白瓷釉质不均的现象与精致程度关系密切。精致白瓷一定是釉质均匀的白瓷，而普通白瓷在釉质均匀程度上则表现出多样化的特征，多数是均匀，但有见不均匀的情况。釉层不均在粗糙白瓷上的表现明显增多。

图2-93　釉层均匀的玉璧足白瓷碗·唐代

图2-94　釉层不均白瓷盒盖·唐代

4. 流　釉

　　流釉在白瓷上常见，从本质上看流釉是一种窑内缺陷（图2-95），但这种窑内缺陷对于实用并不造成影响。由此可见，白瓷显然并不避讳流釉现象的存在。

图 2-95　有流釉的白瓷碗·明代

　　鉴定要点：

　　（1）从流釉程度上鉴定：白瓷在流釉程度上主要以轻微流釉为显著特征，严重流釉的情况并不是很常见。轻微流釉的判断取决于我们的视觉，如果明显看到，显然就是轻微流釉。

　　（2）从流釉部位上鉴定：白瓷流釉在部位上特征明确，这是由釉质流动性的特性所决定的。一般来讲，都是一个自上而下的过程，因此在器物下部常见流釉痕迹，特别是底足流釉数量较多，这是釉质流动的主流，涵盖各个历史时期。另外一种较为典型的流釉就是半釉处流釉（图2-96），这种流釉多数较为严重，较为明显。

图 2-96　半釉处流釉的白瓷碗·五代

图 2-97 釉面有杂质的白瓷碗·唐代

（3）从时代上鉴定：白瓷流釉在时代特征上较为复杂，近底足处有流釉的现象各个时代都有见，时代特征并不明确。而施半釉的情况时代特征则很鲜明，主要以唐及五代时期为多见，这与唐初瓷器"惜釉"的习俗有关。久而久之，便形成了唐代白瓷的一种固定化特征。

（4）从窑口上鉴定：白瓷流釉窑口特征上不是很明显，没有过于规律性的特征。

（5）从精致程度上鉴定：流釉与精致程度关系密切。通常精致的瓷器之上流釉现象很少见，而主要出现在普通和粗糙的瓷器之上，特别是多出现在粗糙的白瓷釉面之上。

5. 杂 质

白瓷釉质上有杂质的情况常见（图 2-97）。杂质是一种缺陷，从理论上看，没有杂质的白瓷釉质显然是不存在的。当然，杂质的程度与白瓷的烧造态度、技术、材料等有着密切的关系，无论哪一个环节出现了问题，都会形成杂质。

鉴定要点：

（1）从程度上鉴定：白瓷杂质根据其严重程度的不同，可以分为匀净、轻微、严重 3 个级别。匀净的白瓷看不到任何杂质。轻微杂质需要仔细观察才能看清楚。严重杂质人们很容易看出来，具有杂质颗粒较大、面积较大等特点。

（2）从时代上鉴定：白瓷杂质具有鲜明的时代特征，唐宋白瓷杂质控制得比较好（图 2-98），要优于元、明、清等时代。

图 2-98 釉面基本无杂质的邢窑白瓷标本·唐代

图 2-100　精细化妆土定窑白瓷碗·宋代

（3）从窑口上鉴定：白瓷杂质在窑口特征上比较鲜明，邢窑精致白瓷对于杂质的处理达到了巅峰状态，同样在定窑精致白瓷之上也很少见杂质的存在。

（4）从精致程度上鉴定：白瓷杂质与精致程度的关系密切，匀净、轻微、严重的情况都有见，在具体特征上呈现出多样化。如精致白瓷在釉质上显然是匀净的，而普通和粗糙的白瓷在杂质上有见。

6.化妆土

化妆土顾名思义就如同妇女化妆之时在面部打的粉底（图2-99），可以有效防止胎釉剥离等现象的发生。中国古代白瓷基本上都施加化妆土。

鉴定要点：

（1）从精细程度上鉴定：白瓷在化妆土上以精细为主，通常多见一层薄薄的化妆土，以白色为多，平滑、均匀、细腻。也有见较厚者，同样十分精细。但同时白瓷在化妆土上不怕暴露，有很多瓷器上露胎处不见施加化妆土。

（2）从时代上鉴定：白瓷化妆土具有鲜明的时代特征。各时代都有，贯穿于白瓷的整个生命历程。

（3）从窑口上鉴定：白瓷化妆土窑口特征十分明显，以名窑最为精细。如著名的邢窑、巩县窑、定窑等在化妆土施加上均是精益求精（图2-100）。而普通的窑场则在化妆土的施加上明显不如名窑瓷器。但相互之间的差别不是很大。

（4）从精致程度上鉴定：白瓷化妆土在精致程度上特征较为复杂。精致白瓷的化妆土多精细，普通和粗糙白瓷在化妆土上也有精细者，但数量较少，主要以普通化妆土为显著特征。

7.釉质稀薄

白瓷中釉质稀薄者常见，而且数量非常多，精致、普通、粗糙者都有见，宫廷与市井之上都有使用，稀与薄以最完美的方式结合在了一起（图 2-101）。

鉴定要点：

（1）从通透性上鉴定：白瓷釉质稀薄在通透性上并不是很好，一般情况下不能很清楚地看到胎体或者化妆土的颜色，只能是隐约看到。

（2）从时代上鉴定：白瓷稀薄釉有着鲜明的时代特征，以宋代为显著特征，其他时代很少见到。

（3）从窑口上鉴定：中国古代白瓷稀薄釉在窑口上的特征十分明确，主要以宋代定窑白瓷为显著特征，而且在定窑白瓷上占据着主流地位。鉴定时应注意分辨。其他窑口也有见稀薄者，但表现没有定窑这样的鲜明。

（4）从精致程度上鉴定：白瓷釉质稀薄与精致程度没有直接的关系，如定窑白瓷统一稀薄釉，既有精致，也有普通和粗糙的白瓷。

图 2-99 普通化妆土白瓷碗·宋代

图 2-101 纯白釉花卉纹标本·清代

8. 釉质稠密

白瓷如果完全看不到胎色即为釉质稠密（图2-102）。釉质稠密的白瓷常见，墓葬和遗址当中都有见，显然为中国古代白瓷最重要的特征之一。

鉴定要点：

（1）从厚薄上鉴定：釉层的厚薄与稠密程度并没有直接的关联，厚釉有见釉质稠密的现象，而薄釉也有见，这一点很明确。

图 2-103　通体施釉精致的白瓷碟·宋代

（2）从时代上鉴定：白瓷釉质稠密的现象在时代特征上比较明确，各个时代都有见，相对来讲宋代在稠密程度上略微少见。

（3）从窑口上鉴定：釉质稠密的白瓷在窑口上特征鲜明，除定窑以外的窑口基本上都是以釉质稠密为显著特征。如著名的邢窑和巩县窑基本上都是这样。

（4）从精致程度上鉴定：釉质稠密与白瓷精致程度没有必然的联系，精致、普通、粗糙的瓷器都有见。

9. 通体施釉

通体施釉的白瓷在墓葬和遗址中都有见（图2-103），但数量很少，与局部施釉相比几乎可以忽略不计。鉴定时应注意分辨。

图 2-102　釉质稠密的白釉瓷碗·五代　　　图 2-104　局部施釉的白瓷碗·唐代

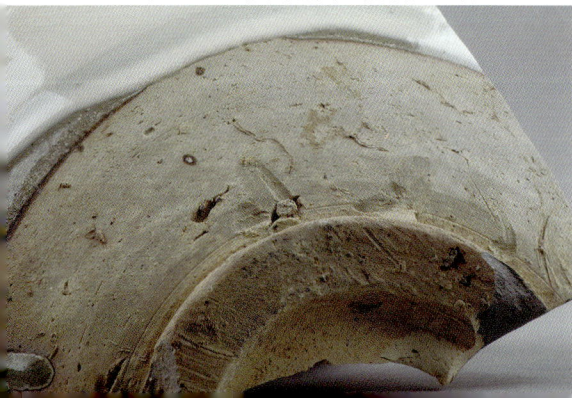

鉴定要点：

（1）从造型上鉴定：通体施釉的白瓷造型与器物造型的关系较为密切，大多数通体施釉的白瓷都是在特定的造型上出现，如碗、盘、碟、盒、壶、罐、枕等器皿之上出现的比例都比较大。

（2）从时代上鉴定：通体施釉的白瓷时代特征鲜明，以唐、宋时期最为多见，其他历史时期比较少见。

（3）从窑口上鉴定：通体施釉的白瓷在窑口特征上比较鲜明，各个窑口都有见，但数量最多的应该是邢窑、巩县窑，以及定窑等。

（4）从精致程度上鉴定：通体施白釉的白瓷在精致程度上特征较为鲜明，主要以精致白瓷为显著特征，普通和粗糙的白瓷上比较少见。

10. 局部施釉

局部施釉的白瓷最为常见，墓葬和遗址当中都有出土，规模较为庞大。

鉴定要点：

（1）从种类上鉴定：白瓷局部施釉在种类上异常繁多，如施釉不及底、半釉、仅至下腹、除底足外施釉近足部等都有见（图 2-104），可见是错综复杂。

（2）从时代上鉴定：局部施釉的白瓷时代特征鲜明，贯穿于整个白瓷史。

（3）从窑口上鉴定：白瓷局部施釉从窑口特征上不明显，不同时代各大窑场都有烧造。

（4）从精致程度上鉴定：局部施釉白瓷在精致程度上关系并不明确，精致、普通、粗糙者都有见（图 1-105）。

图 2-105 局部施釉的白瓷执壶·唐代

第五节 窑 口

一、邢 窑

中国最著名的白瓷窑场之一，处于唐代，是盛唐文化的象征。邢窑白瓷烧造精益求精，其产品"通销全国"，与南方地区的越窑青瓷形成了"南青北白"的瓷业格局。从数量上看，邢窑白瓷墓葬和遗址都有见，墓葬多见 1 到几件，遗址出土数量庞大，总量巨大，

图 2-106 邢窑白瓷执壶·唐代

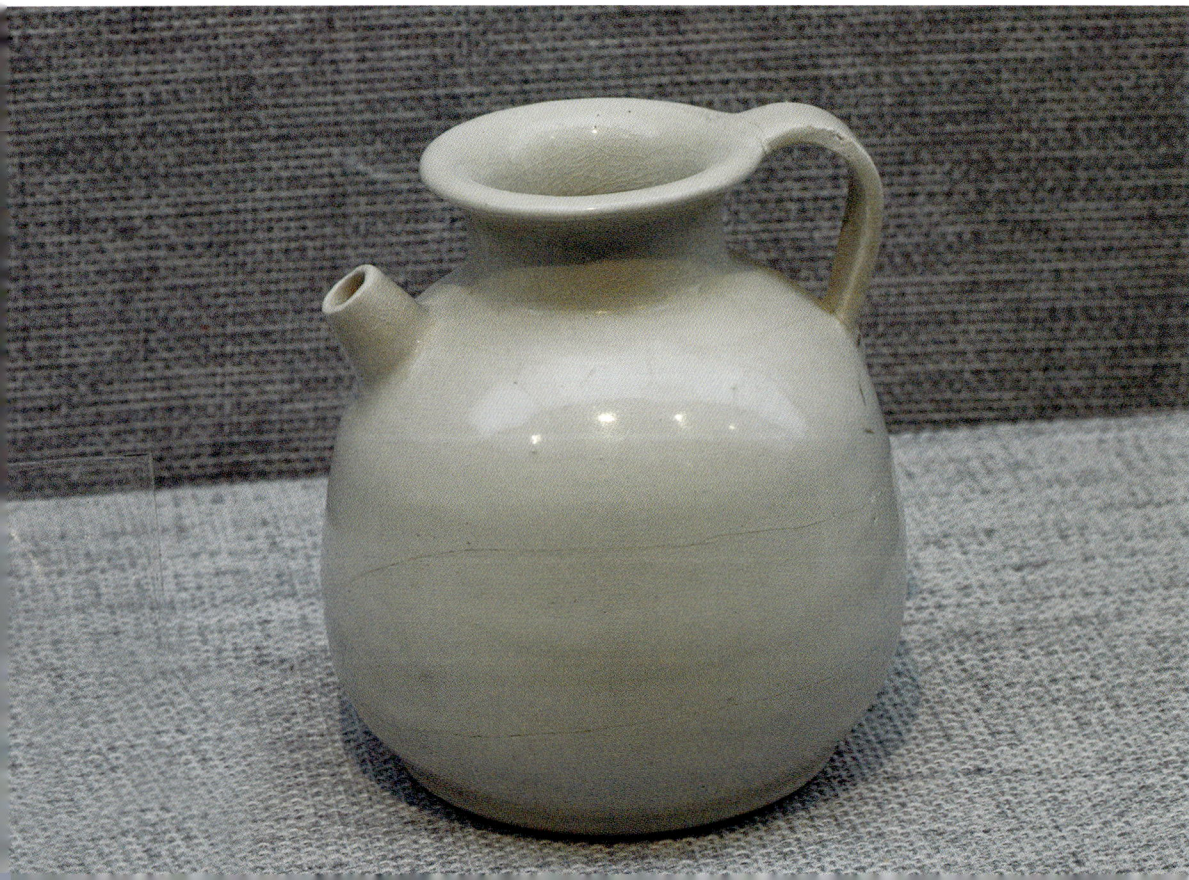

图 2-107 精美绝伦的邢窑雪白釉玉璧足白瓷碗·唐代

基本上占到整个唐五代时期白瓷的大部。从窑址上看，邢窑窑址在今天的河北内丘一带。已经发现，与历史记载相吻合，主要是以内丘一带为中心向周边扩散。从时代上看，邢窑白瓷具有鲜明的时代特征。以唐代为主，延续至五代时期，北宋初期既已消亡。唐代邢窑白瓷在精致程度上可以分为精致、普通、粗糙白瓷 3 个等级，以精细白瓷为象征，数量以普通白瓷为最多，粗糙白瓷次之。从器形上看，邢窑白瓷器物造型十分丰富，如碗、托、盘、碟、盒、托子、注子、壶等都有见，其中以白瓷碗的数量最多。从纹饰上看，邢窑白瓷很少见有纹饰，主要是以造型和釉质取胜，所以对纹饰较为排斥。邢窑白瓷在釉质上达到了较高水平，奇迹般地烧造成功了雪白、纯白、猪油白等釉色，釉层略厚为主，稠密、温润，"类雪似玉"（图 2-106），达到了白瓷釉色烧造的巅峰，历代少有超出者。在胎质上邢窑白瓷选料考究，淘洗精炼，胎体致密、细腻、瓷化程度较高，在胎体上达到了精益求精的程度。讲究"内外一致"，寓意"身心一致"之文化内涵（图 2-107）。邢窑白瓷影响深远，不仅在唐及五代时期"通销天下"，而且对于后世包括对定窑的影响都是深刻的。直到现在，我们都能够看到邢窑白瓷的影子。

二、定　窑

　　定窑是继唐代邢窑之后又一规模庞大的白瓷窑场，为宋代五大瓷器名窑之一（图2-108）。定窑在继承邢窑白瓷的基础上继续发展，一改邢窑白瓷胎釉较厚等特点，变得轻薄，以隽永的造型、纯正的釉色取胜，在成本控制上取得了很大成功，价格变得更为低廉，并且受到人们的青睐，迅速崛起，形成了巨大的瓷窑系统，打破了自唐代以来的"南青北白"的瓷业格局，无论南方和北方都通用之。从数量上看，由于定窑白瓷是人们日常生活当中的用具，所以在数量上规模巨大，有时发掘出土的定窑白瓷成千上万。定窑的窑址已经发现，在今天河北省的曲阳县（因曲阳在唐时属定州，故谓定窑），并以曲阳县为中心不断向外扩散。定窑的成功使得周边许多窑场纷纷仿烧定窑产品，最终形成了巨大的瓷窑系统。定窑具有鲜明的时代特征，唐朝后期开始烧造，极盛于北宋时期，直至元代都是烧造的鼎盛期。但元代在烧造质量上下降极快，衰落的迹象明显。　在精致程度上，定窑白瓷以精致瓷器为显著特征，并不能分出精致、普通、粗糙的等级。从器物造型上看，定窑白瓷由于是人们日常生活用具，所以在造型上无所不包，常见的造型主要有碗、碟、罐、托子、盘、盒、执壶、盆、盂、盏、钵、枕等。以碗、盘、碟的造型为最常见（图2-109），其中白瓷碗的造型最为丰富，占到定窑白瓷的大部。鉴定时应注意分辨。定窑白瓷极重视纹饰，改变了以往瓷器不重纹

图2-108　定窑白瓷碗·宋代

图 2-109　定窑白瓷碟·宋代

饰的历史，而是将大量纹饰图案引入到白瓷之上，使白瓷在装饰上的功能进一步增强。白瓷在装饰纹饰上主要以刻、划、印花为显著特征；剔花等也有见，但不是太多。题材简洁明快，主要以花卉、几何纹、动物纹为主，如双凤、印花纹、莲花、菊花、弦纹、梅花、孔雀、牡丹、条线、篦纹、鱼纹等为常见。纹饰寓意吉祥，如"年年有余"等，构图合理，讲究对称，线条流畅（图2-110），刚劲挺拔。定窑白器显然是以釉质取胜，在釉质上进行了很多革新。如釉层向稀薄的方向发展，将釉层变到不能再薄的程度，这些举措极大地降低了成本，使得定窑白瓷以极低的价格通销天下。但定窑不是一味地降低成本，而是将稀薄釉这一本是缺陷的变革转化成为了一种美。釉色纯正，略显通透性的沁人心脾的美，达到了最为纯美的程度。定窑白瓷在胎质上也是获得了很大成功，选料优良，淘洗精炼，致密细腻的精细胎，当然同时也存在着杂质星星点点的略粗胎，但显然多数定窑白瓷在胎体上是追求精益求精。定窑白瓷的影响极其深远，以至于形成了在定窑之后再无名窑的局面。元、明、清时期的白瓷实际上都还是定窑白瓷的延续，定窑系的窑场。

图 2-110　定窑鱼纹白瓷标本·宋代

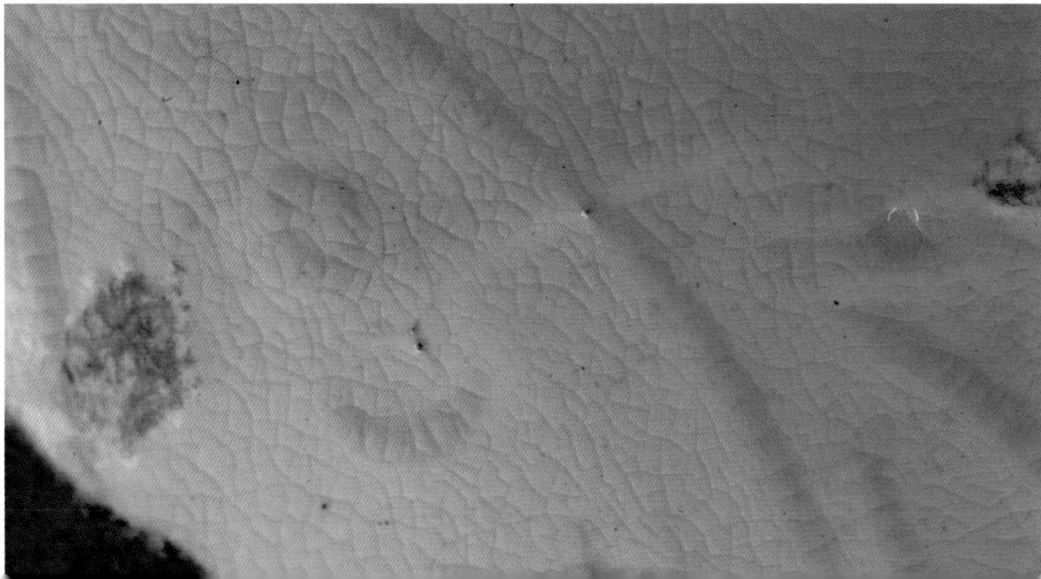

第六节　造　型

一、口　部

1. 敞　口

敞口顾名思义是指向外张的比较大的口部造型。敞口的造型主要以碗、盘、碟、壶、盆、钵、瓶、水注、坛、盏等为常见（图2-111），其中碗的数量最多。敞口的造型在衍生性上很强，常见的主要有大敞口、小敞口、微敞口等。在功能上显然敞口的造型有利于碗、盘等器皿的散热，逐渐演变成为一种造型的思维定式。同时，兼具有装饰性的功能。敞口白瓷流行程度比较广，贯穿整个白瓷造型始终，各个阶层都有使用。

图 2-111　敞口白瓷碗·宋代

图 2-113　敛口白瓷罐·唐代

2. 侈　口

侈口的造型在中国古代白瓷当中十分常见，如灯、碗、壶、碟、炉、水注、盘、瓶等都有见，可见器物造型繁多（图 2-112）。但从数量上看，主要还是以碗、盘、碟等为显著特征。从衍生造型上看主要以大侈口、小侈口、微侈口等为常见。可见，中国古代白瓷在侈口造型上是不断地尝试，力求突破。从功能上看，侈口的白瓷器在功能上特征比较明确，主要是以实用为主，兼具有装饰性的功能。在流行程度上，侈口的白瓷器贯穿于整个白瓷生命的始终。

3. 敛　口

敛口在造型上有一个内敛的过程，在碗、盘、碟、盏、盒、熏炉、瓶、灯等器皿上都常见。其中以白瓷碗造型最为丰富（图 2-113），其他居于从属地位。在衍生造型上，敛口的造型主要有大敛口、小敛口、微敛口、敛口较甚等，可见其在造型上不断探索和尝试。在功能上，敛口的造型兼具实用与装饰的功能。从流行程度上看，敛口的白瓷碗出现频率较高，注定其贯穿于白瓷的生命历程。不同阶层和地域的人都有使用。

图 2-112　侈口白瓷碟·宋代

图 2-115 花口瓜棱形白瓷瓶·宋代

4. 直 口

直口并非笔直的口部，只是口部略直而已，完全是以视觉为判断标准（图 2-114）。从器形上看，白瓷直口的造型主要以碗、盘、钵、杯、瓶、盒等为多见。从衍生造型上看，如近直口、口微直、小直口、大直口等的衍生性造型常见。从功能上看，直口的白瓷功能复杂，以实用为主线。如白瓷盒基本都是直口，总的来看，在功能上主要还是以实用为主，兼具有装饰的功能。从流行程度上看，直口造型的白瓷流行程度非常之广，各个历史时期都有见，尤其是以鼎盛期的唐宋白瓷之上最为多见。鉴定时应注意分辨。

5. 花 口

像花儿一样的口部造型在白瓷上经常有见，主要以生活为模本。从器形上看，主要以碗、盘、碟、瓶、杯等为常见（图 2-115）。从衍生造型上看，花口的衍生造型无限，因为花的姿态千万种，没有一样的两朵花。同样，白瓷花口也是这样，只有相似没有完全相同的花口造型。从功能上看，花口的造型兼具实用与装饰功能，二者结合得异常紧密。在流行程度上，花口的造型各个时代都有见。

图 2-114 直口白瓷盒·唐代

图 2-116 子母口白瓷盒·唐代

6. 子母口

子母口的造型就是有一个母口和子口，二者之间可以相互的扣合。从器形上看，白瓷子母口以盒、坛、炉、钵等为常见，也就是有盖的器皿之上常见（图 2-116）。其中，以白瓷盒最为常见。子母口的衍生造型不是很多，可以说几乎不见，这与子母口盖体扣合的造型有关。如果发生造型的衍生，那么子母口显然就会扣合不严，从而影响到实用。从功能上看，白瓷子母口在功能特征上十分明确，就是以实用为主，兼具有装饰性的功能。在流行程度上，贯穿于整个中国古代白瓷的全过程。

7. 小 口

小口是一个口部大小上的概念，并非是几何意义上小口（图 2-117），主要是相对于白瓷的造型而言，为一场视觉的盛宴。所包含的口部特征甚多，常见的有椭圆口、四方口、长方形口等，以圆口为主。从器形上看，小口白瓷常见于瓶、壶、盂、罐等器物之上，固定化的特征很明显。如碗，小口的可能性就很小；但在瓶之上就很容易会出现小口的造型。从功能上看，兼具有实用和装饰性的双重功能。在流行程度上无论上层社会还是寻常百姓家中都有使用，各个历史时期都有见。

图 2-117 小口瓜棱腹执壶·宋代

8. 大　口

大口是一个口部大小上的概念，主要以视觉为判断标准，所囊括口部特征其多，如侈口、敞口、直口、圆口、子母口、椭圆口等都有见（图2-118）。从器形上看，碗、盘、碟、盆、盏、罐等都常见，其中以碗的数量为最多。在功能上，大口的造型主要是为了实用，装饰的功能有一些，但并不鲜明。从流行程度上看，大口白瓷在历史上十分常见，居于绝对统治地位。

9. "芒口"

宋代定窑的覆烧工艺造就了一种特殊的口部特征"芒口"（图2-119），指口沿无釉，有涩感，常在口有芒处镶嵌金、银、铜等材料进行遮掩。从器形上看，多限于碗、盘、碟等器皿之上，其他器皿很少见到。从时代上看，以宋代为显著特征，其他时代很少见。从窑口上看，以定窑为显著特征，其他窑口很少见。从功能上看，"芒口"白瓷器皿显然是为了实用的需要；但是装饰性的功能非常强，不然也不会镶金嵌铜。从流行程度上看，"芒口"白瓷器皿在宋代相当流行，从地域上看广及全国。

图 2-118　大口白瓷盘·宋代

图 2-119　"芒口"白瓷碗·宋代

图 2-120　撇口白瓷碟·清代

10. 撇　口

在敞口的基础上又有一个明显向外撇的过程，碗、盏、碟、瓶、盒、钵等器皿之上经常有见（图 2-120）。从衍生造型上看，白瓷撇口的衍生性比较丰富，如口微外撇、外撇较甚等都时常有见，但究竟能够衍生到什么程度，理论上只要不超出瓷器实用性的范围，显然是无限的。在功能上实用、装饰的功能并存，但显然主要以实用的功能为主。从流行程度上看，白瓷撇口的造型各个时代都有见，流行程度非常之广。

11. 喇叭口

喇叭口的形制特征很明确，就是像喇叭一样的口部造型，弧度圆润。从器形上看，喇叭口的造型以白瓷瓶、执壶之上常见（图2-121），可见选择性很强。从衍生造型上看，主要有见大喇叭口和小喇叭口等。从功能上看，喇叭口的造型堪称最为夸张的白瓷口部造型之一，装饰性的意味浓郁，但同时也具有实用性的功能。从流行程度上看，喇叭口的白瓷是白瓷史上的一朵奇葩，不同地域、各个时代都有见。

图 2-121　喇叭口白瓷执壶·唐代

图 2-122 圆唇白瓷罐·宋代

二、唇 部

中国古代白瓷唇部造型种类十分丰富，常见的主要有圆唇、方唇、尖唇、尖圆唇、卷唇、折唇、平唇、厚唇、薄唇、敛唇、撇唇等（图2-122）。从衍生造型上看，中国古代白瓷的这些唇部造型之下还有诸多的衍生性造型。卷唇的衍生性造型就有外卷唇、唇微卷、弧卷唇、唇沿微内卷、卷圆唇等。圆唇有圆唇较薄、圆唇较厚、圆唇上翘、圆唇外侈、圆方唇、近圆唇、卷圆唇等，这些造型显然主要是以视觉为主。由此可见，中国古代白瓷在唇部种类上错综复杂。从数量上看并不均衡，存在较大差异性特征，尖圆唇在总量上最大，其他特征比例依次降低。从形制上看，以简洁明快为显著特征，模糊不定的情况很少见。从器形上看，特征鲜明，不同造型的唇部在众多的器物上有使用，如圆唇常在碗、钵、盘等器皿使用；尖唇以碗、盘、盏等为常见。由上可见，中国古代白瓷在唇部造型上涉及众多的器皿。从功能上看，白瓷唇部在功能上以实用为主，兼具有装饰性的功能。

三、沿 部

中国古代白瓷在沿部造型种类上十分丰富，常见的主要有平沿、折沿、敞沿、卷沿、敛沿、厚沿、撇沿、薄沿、花口沿等。其中，平沿和厚沿的造型很少见，当然这种不均衡性还要受到的时代和窑口的限制。从衍生性上看，各种唇部造型的衍生性都比较强，如卷沿可以衍生为微卷沿、卷沿较甚等。平沿可以衍生成斜折沿、平折沿、折沿外卷、口沿微折、折沿下斜、宽平折沿、小折沿等。可见，白瓷沿部造型是在进行着不断的尝试。从数量上看，中国古代白瓷沿部造型数量特征明晰，以均衡性特征为主。从形制上看，中国古代白瓷在形制特征上并不复杂，多数较为简洁（图 2-123）。如平沿，顾名思义就是平坦的沿部造型，比较直观。从器形上看，中国古代白瓷沿部特征在器形上较为简单，常见的器物造型主要有，碗、炉、盘、灯、鼎、钵、瓶、注、唾壶、盏等。由此可见，几乎所有的白瓷造型都被囊括在其中了，只是比例不同而已。从功能上看，白瓷沿部造型在功能上主要是以实用为主，兼具装饰的功能。通常情况下实用和装饰的功能多是以最完美的方式结合在一起的。

图 2-123 花口沿白瓷杯·唐代

图 2-124 弧腹白瓷碗·唐代

四、腹 部

　　中国古代白瓷在腹部特征上种类繁多，常见的主要有鼓腹、折腹、浅腹、深腹、敞腹、曲腹、坦腹、弧腹、斜腹、圆腹、直腹等（图2-124）。从衍生性上看比较强，如微鼓腹、近鼓腹、扁鼓腹、小鼓腹、大鼓腹、弧鼓腹、瓜棱鼓腹、圆鼓腹等造型都常见。从数量上看，主要以鼓腹为主，浅腹、深腹为最常见（图2-125），弧腹的造型也比较常见。从形制上看，鼓腹指的就是鼓起的腹部，造型简洁明快，没有过于复杂和模棱两可的造型。从器形上看，不同的腹部造型会选择相应的器物造型，如白瓷盒只能是直腹，其他的腹部造型很少见。从功能上看，中国古代白瓷在功能上主要以实用的功能为主，兼具有装饰性的功能。

图 2-125 瓜棱腹白瓷罐·唐代

图 2-126 平底白瓷碗·五代

图 2-127 大平底白瓷盘·宋代

五、底 部

　　中国古代白瓷在种类特征上比较简单，主要以平底为主（图2-126），少量见有圜底的造型。其中平底的造型有着很强的衍生性，如平底内凹、平底微凸、大平底、小平底等诸多造型。从数量上看，中国古代白瓷平底的造型在数量上占据着绝对的统治地位。从形制上看，中国古代白瓷底部形制特征比较简单，非常直观（图2-127），主要以视觉为判断标准。从器形上看，中国古代白瓷底部特征明确，可以说几乎涉及所有的器物造型。但不同的形制主要涉及的器形具有差别，如白瓷盏的底部造型多为小平底。从功能上看，中国古代白瓷底部造型在功能上特征比较明确，以实用为显著特征，同时兼具有装饰性的功能。

图 2-128 平底白瓷碗·五代

六、足 部

中国古代白瓷足部造型常见的主要有圈足、饼足、花座足、脊背形足、乳足、兽足、蹄形足、卧足、小饼足、玉璧足等（图2-128）。由此可见，白瓷在足部种类上异常繁多，在衍生性上也非常强，如圈足的衍生性造型就有暗圈足、薄圈足、多边形圈足、方圈足、敛圈足、小圈足、斜直圈足、窄圈足、矮圈足、高圈足、瓜棱状圈足、环状圈足、假圈足、近饼形足圈足等（图2-129），可见其衍生性造型之丰富。从数量上看，中国古代白瓷足部特征在数量上十分清晰，以圈足的数量为最多，其他足部特征在数量上不是很多，呈现出均衡性的特征。从形制上看，白瓷足部形制特征比较明晰，虽然种类比较丰富，但主要以直观视觉为判断标准，简洁明快（图2-130）。玉璧足看起来就是玉璧的造型（图2-131）。从器形上看，中国古代白瓷中不同的足部造型会选择相应的器形。圈足最常见的就是碗、盘、碟等，其中尤以白瓷碗的数量为最。从功能上看，中国古代白瓷足部在功能上的特征明确：一是实用功能；二是装饰的功能。在保证实用情况下，装饰性的功能有时与实用功能结合得非常好。

图 2-129　小圈足白瓷碟·宋代

图 2-130 喇叭形高圈足盂·唐代

图 2-131 玉璧足白瓷碗·唐代

图 2-132 花卉纹双系白瓷罐·宋代

第七节 纹 饰

　　白瓷虽然不是以纹饰取胜，但
是白瓷自宋代以来并不排斥纹饰的存在
（图 2-132）。纹饰题材多样，不同时代、窑
口的白瓷在纹饰上具有一定的差异性特征。从题材上看，中国古代
白瓷纹饰在题材上还是比较复杂，主要以几何纹、花卉、草叶纹、
动物纹为主（图 2-133），但没有过于复杂性的纹饰，有的时候纹饰
也很复杂，但都是简单纹饰的组合，如弦纹的组合就有，一组弦纹、
两组弦纹、数周弦纹、密集弦纹、弦纹饰水波纹等（图 2-134）。从
数量上看，白瓷上有纹者如果与总量相比显然极少。中国古代白瓷
在构图上异常复杂，不同时代和窑口的白瓷在构图上具有差异性，
简洁与繁缛相对，构图合理性很强，层次分明。从线条上看，白瓷
在线条上呈现出的特征是多样化，但主要有两个特点：一是线条流
畅；二是刚劲有力。从饰纹方法上看以刻划花技术为主（图 2-135）。

图 2-133 鱼纹白瓷标本·宋代

图 2-134 两周弦纹盘口白瓷瓶·唐代

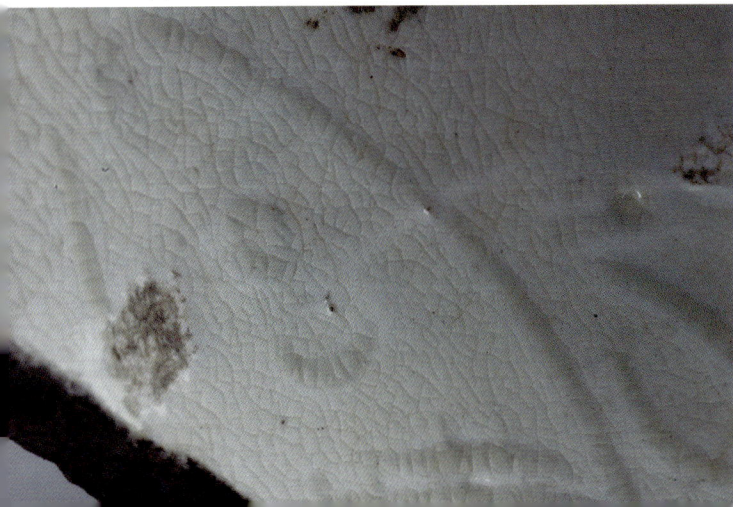

图 2-135　刻划花卉纹碗·宋代

图 2-136　刻画水波鱼纹白瓷碗·宋代

宋代定窑将纹饰大量引入白瓷之上，印花非常的繁盛，其他装饰方法有见，但数量非常少。从饰纹部位上看，主要分为通体饰纹和局部饰纹两种，显然白瓷是以局部饰纹为主，通体饰纹的情况比较少见。从功能上看，中国古代白瓷在纹饰上以装饰和实用的功能结合为显著特征。另外吉祥寓意的功能也比较深刻，如鱼纹使人看起来赏心悦目，迎合了"年年有余"的吉祥寓意（图 2-136）。

第三章　识市场

图 3-1　黑瓷钵·宋代

第一节　逛市场

一、国有文物商店

国有文物商店收藏的黑瓷（图 3-1）、白瓷（图 3-2）具有其他艺术品销售实体所不具备的优势：一是实力雄厚；二是古代黑瓷、白瓷数量较多；三是瓷器鉴定专业人员多；四是在进货渠道上层层把关；五是国有企业集体定价，价格比较适中。国有文物商店是我们购买黑瓷、白瓷的好去处。基本上每一个省都有国有文物商店，分布比较均匀。下面我们从表 3-1 具体来看一看。

图 3-2　白瓷唾余·唐代

图 3-3　黑瓷罐·宋代

表 3-1　国有文物商店黑瓷、白瓷品质优劣表

名称	时代	窑口	数量	品质	体积	检测	市场
黑瓷、白瓷	东汉晚期	上虞窑	多见	普／粗	大小兼备	通常无	国有文物商店
	六朝	德清窑	多见	精／普／粗	大小兼备	通常无	
	隋唐五代	邢窑	多见	精／普／粗	大小兼备	通常无	
	宋代	定窑系	多见	精／普／粗	大小兼备	通常无	
	明清	定窑系	多见	精／普／粗	大小兼备	通常无	
	民国	定窑系	多见	精／普／粗	大小兼备	通常无	

　　由上可见，从时代上看，国有文物商店东汉晚期、六朝时期、隋唐五代时期、宋元时期（图 3-3）、明清时期、民国时期的黑瓷、白瓷都有见。黑瓷最早产生于东汉晚期，直至明清，是老百姓日常生活当中的用具（图 3-4）；白瓷最早产生于隋代，唐代邢窑达到鼎盛，宋代定窑也异常繁荣，直至明清，同样是日常生活用具，在民间广泛使用（图 3-5）。

图 3-4　黑瓷碗·明代

图 3-5 定窑白瓷碟·宋代

从窑系上看，黑瓷自始至终并未形成瓷窑系统。黑瓷自东汉晚期产生以后，各大窑场都有生产，但主要还是以青瓷为主。东汉黑瓷的器形主要有碗、钟、壶、罐等，根据用途的不同，有粗细之分。如碗就做得质量好一些；一些大型容器则做得较差。施釉不到底，有流釉现象，这些情况可能与当时黑瓷所处副产品的地位有关系。但黑瓷自产生以来，其发展速度非常快，在社会上广为流传。六朝时期出现了专一生产黑瓷的窑场，这就是著名的德清窑，其生产的黑瓷色如漆，质量非常之好，成为当时的名窑之一。隋唐五代和宋元明清时期虽然也有一些窑场烧制黑瓷（图3-6），著名的如建窑和吉州窑（图3-7），但像德清窑那样专门烧制黑瓷的窑场几乎不见，因此说黑瓷并未形成窑系（图3-8）。但是白瓷却形成了典型的窑系（图3-9）。白瓷自隋代产生以后，在唐代迅速地发展，产生了著名

图 3-6 黑瓷罐·宋代

图 3-7 建窑兔毫盏·宋代

图 3-8 施釉近足部黑瓷瓶·五代

的邢窑（图 3-10），其产品类雪似玉，
非常美妙。不过邢窑并未形成窑系，在
唐代末期邢窑衰落，在邢窑烧制的基础
上北宋时期产生了著名的定窑。定窑白
瓷以极低的价格、极优的品质通销全国，
实质上形成了瓷窑系统。这一系统影响十
分深远，元、明、清包括民国时期白瓷基本
上都还是属于定窑系统的延续。

图 3-9 白瓷碗·五代

图 3-10 邢窑雪白釉白瓷盒·唐代

图 3-12　黑褐釉瓷罐·明代

　　从品质上看，宋元黑瓷（图 3-11）、白瓷在品质上精致、普通、粗糙者都有见，但是以时代为区分。东汉晚期，黑瓷精致者不多，主要以普通和粗糙的瓷器为主；但是六朝时期较为精致的黑瓷都出现了；隋唐五代和宋元明清时期在品质上黑瓷精致、普通、粗糙者开始成为常态（图 3-12）。白瓷在隋唐五代时期基本上就达到了巅峰，如邢窑白瓷等。但邢窑白瓷也分精致、普通、粗糙 3 个层次。宋代在邢窑基础上而起来的定窑白瓷在精致程度上呈现出精致与普通的特征（图 3-13），过于粗糙者数量极少，直至明、清、民国都是这样。

图 3-11　黑瓷罐·宋代

图 3-13　白瓷碗·宋代

图 3-14　白瓷碗·宋代

　　从体积上看，国有文物商店内的六朝黑瓷在体积上大小不一，特别是宋、金时期的比价大（图 3-14），元、明、清黑白瓷在体积上也是大小不一，大小兼备。

　　从检测上看，各个时代的黑瓷、白瓷通常没有什么检测证书，对于瓷器的行规就是凭借自己的眼力，因此把玩鉴定要点是关键。不过，文物商店内的黑瓷、白瓷伪器很少，因为这事关国有文物商店的信誉和鉴定能力问题（图 3-15）。

图 3-15　黑瓷执壶·唐代

二、大中型古玩市场

大中型古玩市场是黑瓷、白瓷销售的主战场，如北京的琉璃厂、潘家园等，以及郑州古玩城、兰州古玩城、武汉古玩城等都属于比较大的古玩市场，集中了很多黑瓷、白瓷（图 3-16）销售商，像北京报国寺只能算作是中型的古玩市场。下面我们从表 3-2 具体来看一下。

表 3-2　大中型古玩市场黑瓷、白瓷品质优劣表

名称	时代	窑口	数量	品质	体积	检测	市场
黑瓷、白瓷	东汉晚期	上虞窑	多见	普 / 粗	大小兼备	通常无	大中型古玩市场
	六朝	德清窑	多见	精 / 普 / 粗	大小兼备	通常无	
	隋唐五代	邢窑	多见	精 / 普 / 粗	大小兼备	通常无	
	宋代	定窑系	多见	精 / 普 / 粗	大小兼备	通常无	
	明清	定窑系	多见	精 / 普 / 粗	大小兼备	通常无	
	民国	定窑系	多见	精 / 普 / 粗	大小兼备	通常无	

图 3-16　白瓷碗·五代

图 3-17 黑瓷瓶·宋代

图 3-18 邢窑白瓷碗·唐代

　　由表 3-2 可见，从时代上看，大中型古玩市场的黑瓷、白瓷，东汉晚期、六朝、隋唐五代、宋元、明清、民国各个时代都有见（图3-17）。从窑口上看，大中型古玩市场的黑白瓷在窑口上并不复杂，黑瓷除了德清窑外，其他的窑口不是很明确；而白瓷在窑系上十分明确，唐及五代白瓷基本上以邢窑为主（图 3-18），宋代以定窑为主（图 3-19），界线十分明确。元、明、清以定窑系的延续为主，可见窑系的扩张并不因王朝的更迭削弱。

图 3-19 白瓷碗·宋代

图 3-20 油滴釉盏·宋代

从数量上看，东汉晚期、六朝、隋唐五代、宋元明清、民国时期的黑白瓷在大中型古玩市场内十分常见（图 3-20）。如在潘家园市场上到处都是，几百家销售的都有，人头攒动，非常热闹。

从品质上看，不同时期的黑白瓷在品质上东汉晚期不是太好，精致者很少见，主要以普通，甚至是粗糙者为多见；而六朝时期基本上这种趋势就得以扭转，精致、普通、粗糙者都有见；直至民国时期都是这样。不过就精致程度而言，以唐代和宋代最为精致，工艺水平最高（图 3-21）。元、明、清黑瓷白瓷在工艺上普遍有下降的趋势，精致瓷器的数量有所下降。

从体积上看，大中型市场内各个时代的黑瓷、白瓷大小兼备，在体积上特征不明确。从检测上看，各个时代的黑、白瓷基本上没有经过专家检测，需要自己判断真伪（图 3-22）。

图 3-21 白瓷罐·宋代

图 3-22 白瓷碗·五代

三、自发形成的古玩市场

这类市场三五户成群，大一点几十户，而且不很稳定，有时不停地换地方，但却是我们购买黑瓷（图 3-23）、白瓷的好地方。我们从表 3-3 具体来看一下。

表 3-3 自发古玩市场黑瓷、白瓷品质优劣表

名称	时代	窑口	数量	品质	体积	检测	市场
黑瓷、白瓷	东汉晚期	上虞窑	多见	普 / 粗	大小兼备	通常无	自发形成的古玩市场
	六朝	德清窑	多见	精 / 普 / 粗	大小兼备	通常无	
	隋唐五代	邢窑	多见	精 / 普 / 粗	大小兼备	通常无	
	宋代	定窑系	多见	精 / 普 / 粗	大小兼备	通常无	
	明清	定窑系	多见	精 / 普 / 粗	大小兼备	通常无	
	民国	定窑系	多见	精 / 普 / 粗	大小兼备	通常无	

图 3-23 黑瓷罐·宋代

图 3-26 黑釉瓷瓶·宋代

由表 3-3 可见，从时代上看，自发形成的古玩市场上的黑瓷、白瓷各个时代都有见，但是真伪难辨，想要淘宝需要具有很高的水平。

从窑口上看，自发古玩市场上的黑瓷、白瓷在窑口特征上也是比较明确，六朝黑瓷多数可以归入德清窑，宋代建窑和吉州窑烧制黑釉茶具为世之精品（图 3-24）。定窑烧制的黑定也是非常精美。白瓷主要以唐及五代时期定窑白瓷为主。

从数量上看，早期黑瓷很少见，包括东汉六朝时期都是这样，主要以宋元至民国时期的黑瓷比较常见。白瓷比较常见，唐及五代邢窑、宋元明清定窑产品等都比较常见（图 3-25）。

图 3-24 建窑兔毫釉盏·宋代

从品质上看，黑瓷早期以普通和粗瓷为多见；六朝有见精致黑瓷；宋代建窑等有见一些；其他时代很少见到精品（图 3-26），主要以普通和粗瓷为多见。白瓷基本上各个时代精致、普通、粗糙者都有见，但主要以宋代最为精致。

从体积上看，各个时代的黑、白瓷由于是人们日常生活用具，所以大小兼备（图 3-27）。

从检测上看，这类自发形成的小市场上的瓷器多数没有经过专家长眼，基本上靠自己的鉴赏能力。

图 3-25　白瓷瓜棱罐·宋代

图 3-27　白瓷瓜棱罐·唐代

四、网上淘宝

网上购物近些年来成为时尚，同样网上也可以购买黑瓷、白瓷（图3-28）。上网搜索，会出现许多销售黑瓷、白瓷的网站。下面我们通过表3-4具体来看一下。

表3-4　网络市场黑瓷、白瓷品质优劣表

名称	时代	窑口	数量	品质	体积	检测	市场
黑瓷、白瓷	东汉晚期	上虞窑	多见	普／粗	大小兼备	通常无	网上淘宝
	六朝	德清窑	多见	精／普／粗	大小兼备	通常无	
	隋唐五代	邢窑	多见	精／普／粗	大小兼备	通常无	
	宋代	定窑系	多见	精／普／粗	大小兼备	通常无	
	明清	定窑系	多见	精／普／粗	大小兼备	通常无	
	民国	定窑系	多见	精／普／粗	大小兼备	通常无	

图3-28　白瓷碗·唐代

图 3-29 黑瓷罐·明代

　　由表 3-4 可见，从时代上看，网上淘宝可以通过搜索很便捷地买到各个时代的黑瓷、白瓷等（图 3-29 至图 3-31），从东汉晚期直至明清时期都可以买到，但就是看不到实物，仅从照片上看不太靠谱。不能说网上没有真品，但是应该是非常之少，因为可以试想一下，网络销售的大量古代珍贵瓷器的货源从哪里来呢？网上淘宝，简单快捷，但应慎重，因为真伪的确是一个大问题。

图 3-30 白瓷碗·宋代

图 3-31 白瓷碗·唐代

从窑口上看，网络上的黑瓷、白瓷在窑口上比较齐全，各个时代的名窑都有见，以及典型器物等都有，但还是有一个真伪问题需要仔细甄别。

从数量上看，不同时代的黑瓷、白瓷在数量上相当，比较多见，这与其日用品的功能有关（图3-32）。

从品质上看，东汉晚期、六朝时期、隋唐五代时期、宋元明清、民国时期的黑、白瓷器在品质上都有精致、普通、粗糙之分。相对而言，唐宋时期精品较多（图3-33），其他时代在精致程度上有限。

从体积上看，黑、白瓷器在大小上特征不是很明确，大小兼备。
从检测上看，网上淘宝而来的黑瓷、白瓷器真伪难辨，完全依靠自己的鉴赏水平。

图3-32 黑瓷罐·宋代

图3-33 白瓷碗·唐代

五、拍卖行

黑瓷、白瓷（图 3-34、图 3-35）拍卖是拍卖行传统的业务之一，拍卖行是我们淘宝的好地方。具体我们从表 3-5 来看一下。

表 3-5　拍卖行黑瓷、白瓷品质优劣表

名称	时代	窑口	数量	品质	体积	检测	市场
黑瓷、白瓷	东汉晚期	上虞窑	多见	普／粗	大小兼备	通常无	拍卖行
	六朝	德清窑	多见	精／普	大小兼备	通常无	
	隋唐五代	邢窑	多见	精／普	大小兼备	通常无	
	宋代	定窑系	多见	精／普	大小兼备	通常无	
	明清	定窑系	多见	精／普	大小兼备	通常无	
	民国	定窑系	多见	精／普	大小兼备	通常无	

图 3-35　白瓷碗·宋代

图 3-34　黑瓷钵·宋代

　　由表 3-5 可见，从时代上看，拍卖行拍卖的黑瓷、白瓷各个历史时期的都有见（图 3-36、图 3-37）。其中，黑瓷以宋代建窑茶盏为多见；而邢窑和定窑白瓷器具都很常见。

　　从窑口上看，拍卖市场上的白瓷多数窑口可以归入邢窑和定窑，而黑瓷除了德清窑和建窑、吉州窑、黑定外，其他的很难归入窑口。因为大多数黑瓷其实在窑口上并不固定，在古代，多数是众多窑场在搭烧。

图 3-36　白瓷罐·唐代

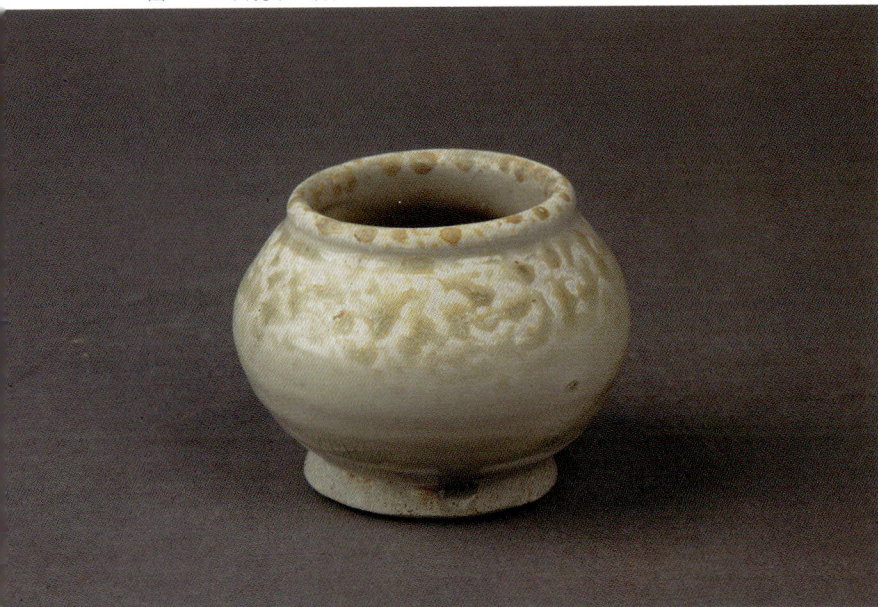

图 3-37　白瓷碗·宋代

图 3-38 黑瓷罐·宋代

图 3-39 雪白釉白瓷盒·唐代

从数量上看，古代黑瓷、白瓷器拍卖从数量上以各个时期的精品为主（图 3-38、图 3-39），以白瓷较为多见，其他数量特征并不明确。

从品质上看，中国古代黑白瓷器在精致程度上可谓是以精致、普通者为主，主要以精品力作为主。这与拍卖行的性质有关，价值很低的黑瓷、白瓷由于佣金很少，基本上拍卖行很少拍卖。

从体积上看，黑白瓷器在拍卖行出现体积也是较为随意，大小器皿都有见。

从检测上看，拍卖场上的黑、白瓷主要以买家的鉴赏能力为判断标准。拍卖行只是一个平台，并不保真。

图 3-40 黑瓷瓶·宋代

六、典当行

典当行也是购买黑瓷、白瓷的好去处。典当行的特点是对来货把关比较严格（图 3-40），一般都是死当的黑瓷、白瓷制品才会被用来销售。具体我们来看表 3-6。

表 3-6 典当行黑瓷、白瓷品质优劣表

名称	时代	窑口	数量	品质	体积	检测	市场
黑瓷、白瓷	东汉晚期	上虞窑	多见	普/粗	大小兼备	通常无	典当行
	六朝	德清窑	多见	精/普/粗	大小兼备	通常无	
	隋唐五代	邢窑	多见	精/普/粗	大小兼备	通常无	
	宋代	定窑系	多见	精/普/粗	大小兼备	通常无	
	明清	定窑系	多见	精/普/粗	大小兼备	通常无	
	民国	定窑系	多见	精/普/粗	大小兼备	通常无	

　　由表 3-6 可见，从时代上看，典当行的黑瓷、白瓷器东汉晚期、六朝、隋唐五代、宋元、明清、民国多有见（图 3-41）。从窑口上看，典当行的黑瓷在窑口特征上不是很明确，可以说各个窑口的都有见，其中以德清窑黑瓷、建窑黑瓷、吉州窑黑瓷、定窑黑瓷为多见（图 3-42）。白瓷窑口特征多数明确，基本上可以归入邢窑、定窑两大瓷窑系统。从品质上看，典当行内的黑瓷、白瓷精致者有见，主要以唐宋时期为多见（图 3-43），但普通瓷器，甚至是粗糙的瓷器也有见，但价格也是高低错落有致。从体积上看，黑瓷、白瓷在体积上特征并不明确，大小兼具。从检测上看，典当行内的黑瓷（图 3-44）、白瓷制品一般没有检测证书，品级高低和真伪完全取决于购买者的鉴赏水平。

图 3-41　白瓷唾盂·唐代

图 3-42　宽圈足黑定茶盏·宋代

图 3-43　象牙白釉瓷碗·宋代

图 3-44　黑瓷壶·宋代

第二节 评价格

一、市场参考价

    黑瓷、白瓷在价格上升值很快，数年前几十元的黑白瓷今日已攀升至数万元的高价，这与黑瓷和白瓷都是人们日常生活当中的日用器关。如碗、盘、碟、盆、罐等数量最多，其中以碗的数量最常见（图3-45、图3-46），民窑气息也是比较浓郁，人们对其趋之若鹜，这也是其不断升值的重要原因。但黑、白瓷在价格上总体还不是特别高，这与其民窑的性质关系密切（图3-47、图3-48）。黑瓷、白瓷的参考价格也比较复杂，下面让我们来看一下黑瓷、白瓷主要的价格。但是，这个价格只是一个参考，因为本书价格是已经抽象过的价格，是研究用的价格，实际上已经隐去了该行业的商业机密，如有雷同，纯属巧合。仅仅是给读者一个参考而已。

图3-45 白瓷碗·宋代

图3-46 黑瓷碗·明代

图 3—47 白瓷钵·宋代

图 3—48 黑瓷瓶·宋代

唐 邢窑白瓷执壶：16 万～ 19 万元。

五代 邢窑白瓷碗：6 万～万元。

宋 定窑白瓷盘：260 万～ 460 万元。

宋 定窑白瓷斗笠碗：2600 万～ 4600 万元。

宋 建窑兔毫盏：480 万～ 880 万元。

宋 建窑兔毫盏：28 万～ 38 万元。

宋 建窑兔毫盏：0.3 万～ 0.55 万元。

宋 建窑油滴盏：160 万～ 180 万元。

宋 黑定执壶：26 万～ 35 万元。

宋 黑定描金罐：16000 万～ 18000 万元。

宋 黑定罐：10000 万～ 16000 万元。

宋 黑定盏：26 万～ 30 万元。

金 黑瓷瓶：16 万～ 18 万元。

金 定窑黑瓷摆件：5 万～ 8 万元。

元 黑瓷瓶：16 万～ 18 万元。

元 吉州窑木叶盏：28 万～ 38 万元。

元 吉州窑剪纸贴花碗：8 万～ 9 万元。

元 吉州窑玳瑁釉盏：7 万～ 9 万元。

元 银斑建窑盏：7 万～ 8 万元。

元 建窑兔毫盏：6 万～ 9 万元。

元 建窑斗笠盏：15 万～ 18 万元。

元 建窑油滴天目盏：60 万～ 90 万元。

元 建窑兔毫盏：5 万～ 8 万元。

元 青白釉笠式碗：17 万～ 19 万元。

元 青白釉执壶：16 万～ 18 万元。

元 枢府釉碗：7 万～ 9 万元。

元 枢府釉盘：5 万～ 8 万元。

元 邢窑白釉盏：1.6 万～ 1.8 万元。

元 定窑白瓷盘：6 万～ 9 万元。

明 永乐甜白压手杯：39 万～ 48 万元。

清 仿烧永乐甜白碗：6 万～ 9 万元。

清 白瓷鼻烟壶：0.6 万～ 0.8 万元。

清 德化白瓷香炉：2 万～ 3 万元。

二、砍价技巧

砍价是一种技巧，但并不是根本性的商业活动，它的目的就是在与对方讨论价格的过程中，找到对自己最有利的因素，抢锤砍价。需要提醒的是，砍价是技巧，并不是一切，忽视黑、白瓷本身的品种并不可取（图 3-49、图 3-50）。

对于黑、白瓷的砍价主要有这几个方面：

一是品相（图 3-51），瓷器在经历了岁月长河之后大多数已经残缺不全，特别是东汉晚期及六朝时期的黑瓷基本都是残缺的，定窑白瓷由于胎壁比较薄，破损的情况也很严重，所以完残自然也就成为了砍价的利器。

图 3-49 白瓷碗·宋代

图 3-50 黑瓷罐·宋代

图 3-51 白瓷盂·唐代

二是釉色，黑、白瓷的釉色是最令人称道的了，六朝时期德清窑的黑如漆，宋代建窑黑瓷窑变，兔毫、油滴釉瓷器等令人对于黑色刮目相看。邢窑白瓷的雪白釉色震撼人心，显然是以釉色取胜（图3-52）。因此，黑、白瓷的釉色纯正程度及水平会成为价格砝码的重要因素。如果能够找到确凿的证据，则会在价格谈判上占尽先机。

从精致程度上看，黑瓷、白瓷的精致程度可以分为精致、普通、粗瓷等 3 类（图 3-53、图 3-54），将自己要购买的瓷器归类，自然也能够成为砍价的利器。

总之，黑瓷、白瓷的砍价技巧涉及时代、造型、窑口、釉色等诸多方面（图 3-55），从中找出缺陷，必将成为砍价利器。

图 3-52 邢窑白瓷瓜棱罐·唐代

图 3-53 定窑象牙白釉子母口白瓷盒·宋代

图 3-54 精美绝伦的白瓷碗·五代

图 3-55 黑瓷碗·宋代

图 3-56　白瓷罐·唐代

第三节　懂保养

一、清　洗

　　清洗是收藏到瓷器之后很多人要
进行的一项工作，目的就是要把瓷器表
面及其断裂面的灰土和污垢清除干净（图
3-56）。但在清洗的过程当中，首先要保护瓷器
不受到伤害。首先，要观察黑、白瓷胎釉结合情况，没有剥釉现象，
可以采用直接入水法来进行清洗，但不要将黑、白瓷直接放到自来
水中清洗。自来水中的多种有害物质会使瓷器釉面受到伤害，通常
应将其放入纯净水中进行清洗。待到土蚀完全溶解后，再用棉球将
其擦拭干净（图 3-57）。遇到未除干净的瓷器，可以用牛角刀进行
试探性的剔除，如果还未洗净，请送交文物专业修复机构进行处理，
千万不要强行械强剔除，以免伤及釉面（图 3-58）。这一点我们在
收藏时一定要注意。

图 3-57　黑瓷碗·明代

图 3-58　白瓷碗·宋代

图 3-59 精致黑瓷瓶·宋代

二、修　复

许多黑白瓷需要修复，主要包括
拼接和配补两部分。

拼接就是用黏合剂把破碎的黑、白瓷片重新黏合起来（图 3-59）。
拼接工作十分复杂，有时想把它们重新黏合起来也十分困难。一般
情况下主要是根据共同点进行组合。如根据碎片的形状、釉色等特点，
逐块进行拼对，最后再进行调整（图 3-60）。

图 3-60　白瓷瓜棱罐·唐代

　　配补是研究修复的最后一个步骤，就是把损坏或不存在的部位，恢复到原来的形状。配补的方法很多，主要有填补、模补。一般情况下残缺面积很小的部位，直接拿一块麻布进行填补后，进行休整就可以了。而残损比较严重的情况就必须进行模补（图3-61）。经过配补而形成的黑、白瓷，表面非常粗糙（图3-62），可以说是凸凹不平，因此就需要对修补材料，特别是用石膏进行修补的表面进行修整。经过修整后的石膏面基本平整，之后再用木砂纸等进行打磨，这样整个修复过程才可以说是完成了。

图3-61　黑瓷罐·清代

图3-62　黑瓷双喜罐·唐代

图 3-63 白瓷碗·宋代

三、养 护

1. 加 固

有相当一部分是用石膏修复的，而石膏的机械强度极低，很容易破碎，所以需要对石膏进行加固（图 3-63），使石膏的强度增大，质地坚硬。具体操作方法是把环氧树脂混合液同乙醇按 1∶1 的比例混合后，用毛笔均匀地涂敷在石膏面上，利用乙醇把强度极大的永久性黏合剂环氧树脂混合液带进石膏内（图 3-64）。这时的石膏面就会变得异常坚硬，不易破碎。但这种加固并不是一劳永逸的，而是过一段时间后就需要进行一次，不然就有可能会裂开。

图 3-64 黑瓷高足盘·宋代

图 3-65　黑瓷高足盘·宋代

2. 相对温度

黑、白瓷的保养室内温度也很重要，
特别是对于经过修复复原的黑、白瓷温度尤为重要
（图 3-65、图 3-66），因为一般情况下黏合剂都有其温度的最高界
限，如果超出就很容易出现黏合不紧密的现象。如热溶胶的溶解温
度在 55℃左右，如果高出这个温度可能就要出问题。但一般情况下
都不会高出这个温度，我们在保存时注意就可以了。

图 3-66　白瓷碗·宋代

图 3-69 白瓷碗·唐代

图 3-68 白瓷罐·唐代

3. 相对湿度

黑、白瓷（图 3-67、图 3-68）在相对湿度上一般应保持在 50% 左右，如果相对湿度过的大，一些受过伤的胎体就会受到水的侵袭，水会沿着哪怕是再微小的裂缝进入到色釉瓷体内（图 3-69）。如果温度下降至 0℃ 以下，就会产生巨大张力，从而导致黑、白瓷破碎。

图 3-67 施半釉黑瓷瓶·辽代

图3-70 黑瓷小口瓶·辽代

4.存 放

　　黑、白瓷要放置在震动小的地方，如工厂、铁道旁等就不适宜长期放置黑、白瓷真品（图3-70至图3-72）。因为虽然震动不至于立刻使其开裂，但日积月累以防万一。另外，最好就是像文物库房那样，将器物放置在架子上，而不是放置在柜子中。因为柜子开拉门的时候会产生一定的晃动，对于圈底的器物的处理要稳妥，一般情况下要做一个专门的支架进行放置。总之对于放置，我们应该谨慎。主要以"不晃动""不磕碰"等为基本原则。

图3-71 "类雪似玉"雪白釉白瓷碗·唐代

图3-72 白釉盖碗·清代

图 3–73　白瓷盉·唐代

5. 日常维护

收藏到的黑、白瓷，一般应分以下步骤进行日常维护。

第一步是进行测量。对黑、白瓷（图 3-73）的长度、高度、厚度等有效数据进行测量，目的很明确，就是对黑、白瓷进行研究，以及防止被盗或是被调换。

第二步是进行拍照，如正视图、俯视图和侧视图等，给黑、白瓷保留一个完整的影像资料（图 3-74）。

第三步是建卡，黑、白瓷收藏当中很多机构，如博物馆等，通常给黑、白瓷建立卡片。卡片内容如名称，包括原来的名字和现在的名字，以及规范的名称；其次是年代，就是这件黑、白瓷的制造年代、考古学年代；还有质地、功能、工艺技法、形态特征等详细文字描述。这样我们就完成了对古黑、白瓷收藏最基本的特征。

图 3–74　黑釉瓷碗·宋代

　　第四步是建账，机构收藏的黑、白瓷（图3-75至图3-77），如博物馆通常在测量、拍照、建卡片、包括绘图等完成以后，还需要入国家财产总登记账，和分类账两种，一式一份，不能复制，主要内容是将文物编号，有总登记号、名称、年代、质地、数量、尺寸、级别、完残程度，以及入藏日期等进行登记。总登记账要求有电子和纸质两种，是文物的基本账册。藏品分类账也是由总登记号、分类号、名称、年代、质地等组成，以备查阅。

图3-75　黑瓷小口瓶·宋代

　　第五步是防止磕碰，在黑、白瓷保养上，防止磕碰是一项很重要的工作。瓷器容易摔裂，运输需要独立包装，避免碰撞。

图3-76　黑瓷罐·宋代　　　　　　　　　　图3-77　白瓷碗·宋代

图 3-78 黑瓷瓶·金代

第四节 市场趋势

一、价值判断

价值判断就是评判价值。我们做了很多的工作，所要得到的结果就是评价值，这实际上就是鉴定的结论。在评判价值的过程中，也许一件瓷器有很多的价值，但一般来讲我们要能够判断黑、白瓷的三大价值，即古瓷器的研究价值、艺术价值、经济价值（图 3-78、图 3-79）。当然，这三大价值是建立在诸多鉴定要点的基础之上的。

图 3-79 白瓷杯·明代

　　研究价值，主要是指在科研上的价值。如填补了一个科学上的空白（图 3-80），或发现了一件瓷器推翻了一个结论，等等，这些都是研究价值的具体体现。在实际的鉴定中，从大多数的黑白瓷上所得出的结论都是一些普通的结论，没有什么重大的考古大发现。但是，每一件古瓷器应该都有其自身的价值所在，所以，在鉴定中我们一定要评判出古瓷器的研究价值（图 3-81）。

　　艺术价值，较研究价值则更为复杂，如黑、白瓷的造型艺术、纹饰、釉色、釉质、胎质、书法艺术等，都是同时代艺术水平和思想观念的体现。特别是一些精品瓷器更具有较高的艺术价值。如邢窑玉璧足雪白釉白瓷精美绝伦，而我们鉴定其目的之一就是要挖掘这些艺术价值（图 3-82）。

图 3-80　黑瓷瓶·金代　　　　　图 3-81　白瓷钵·宋代

图 3-83　黑瓷碗·明代

图 3-84　白瓷碗·宋代

　　黑、白瓷（图 3-83、图 3-84）均具有很高的经济价值，特别是一些精品古瓷器的价值就更高了。但价格是靠价值来体现的，在确定其价值之后要根据市场行情，再结合以前拍卖的记录，给出一个心理价位，以及预测升值空间。以上是分析白瓷和黑瓷市场趋势的全过程。当然，价值判断的方法也有很多，但在内容上基本都相似。以上方法仅供读者参考。

图 3-82　白瓷碗·五代

图 3-85　侈口白瓷碗·宋代

图 3-86　釉质肥润白瓷碗·唐代

二、保值与升值

　　黑、白瓷在中国有着悠久的历史，黑瓷在东汉晚期就已经产生，六朝时期德清窑的烧造达到较高水平，直至明清，对我们当代也有很大影响（图 3-85）。而白瓷产生比较晚，隋代产生，唐代即达到鼎盛（图 3-86），直至明清、民国和当代都有少量使用。从历史上看，黑瓷、白瓷是一种盛世的收藏品。在战争和动荡的年代，人们对于瓷器的追求夙愿会降低，而盛世，人们对黑、白瓷的情结通常水涨船高。黑、白瓷会受到人们追捧，趋之若鹜，特别是名窑的黑、白瓷器，如邢窑、定窑等。近些年来股市低迷、楼市不稳有所加剧，越来越多的人把目光投向了黑、白瓷收藏市场（图 3-87）。在这种背景之下，黑、白瓷与资本结缘，成为资本追逐的对象。高品质的黑、白瓷的价格扶摇直上，升值数十倍、上百倍，而且这一趋势依然在迅猛发展。

图 3-87　白瓷碟·宋代

图 3-88　黑瓷双系瓶·宋代

　　从品质上看，黑、白瓷对品质的追求是永恒的（图3-88）。黑、白瓷并非没有瑕疵，但人们对于黑、白瓷的追求源自于对于美好生活的追求。黑、白瓷切近生活，具有浓郁的生活气息（图3-89、图3-90），正好契合人们的这一美好夙愿。因此只要是古代的黑瓷、白瓷，基本都具有保值与升值的潜力。

　　从数量上看，由于中国古代黑、白瓷已是不可再生，历史已经过去，人们又对黑、白瓷趋之若鹜，这样黑、白瓷的数量自然会越来越稀少，而黑、白瓷中的高品者更是有限，具备了"物以稀为贵"的商品属性，具有保值、升值的强大功能（图3-91、图3-92）。

图 3-89　黑瓷双系壶·辽代

图 3-90　黑瓷罐·宋代

图 3-91 白瓷碗·宋代

图 3-92 白瓷碗·唐代

从消费上看，黑、白瓷的消费特别大，越是好的黑、白瓷消费量越大，被藏家收藏。黑、白瓷以这种方式被不断消耗，且又不可再生，所以供不应求的局面就会长期存在，"物以稀为贵"的特性必将越来越凸显（图 3-93 至图 3-97）。

黑、白瓷目前已十分珍稀，其价格与数年前相比已上涨了很多倍。随着人们收藏热情的高涨，黑、白瓷的保值、升值功能必将会进一步增强。

图 3-93 黑瓷瓶·辽代

图 3-94 釉面匀净邢窑精致白瓷碗·唐代

图 3-95 黑瓷罐·宋代

图 3-96 邢窑类雪似玉雪白釉瓷碗·唐代

图 3-97 邢窑雪白釉瓜棱罐·唐代

参考文献

[1] 河南省文物考古研究所 . 河南登封市法王寺二号塔地宫发掘简报[J] . 华夏考古 ,2003 (2) .

[2] 四川省文物考古研究所,广元市文物保护管理所 . 广元市瓷窑铺窑址发掘简报 [J] . 四川文物 ,2003 (3) .

[3] 梁白泉 . 国宝大观[M] . 上海: 上海文化出版社, 1990 .

[4] 冯先铭 . 中国陶瓷[M] . 上海: 上海古籍出版社, 1994 .

[5] 姚江波 . 瓷器鉴赏收藏手册[M] . 北京: 中国轻工业出版社, 2009 .

[6] 安阳市文物工作队 . 安阳市戚家庄隋唐窑址发掘简报[J] . 华夏考古 ,1997 (3) .

[7] 郑州市文物考古研究所,上街区文化馆 . 郑州市上街铝厂唐墓发掘简报[J] . 中原文物 ,1997 (3) .

[8] 奉先寺遗址发掘工作队 . 洛阳龙门奉先寺遗址发掘简报 [J] . 中原文物, 2001 (2) .

[9] 内蒙古文物考古研究所,丰镇县文物管理所 . 丰镇县二十一沟遗址发掘简报 [J] . 内蒙古文物考古 ,1990 (4) .

[10] 姚江波 . 古瓷标本[M] . 沈阳: 辽宁画报出版社, 2002 .

[11] 池小琴 . 江西会昌发现晚唐至五代墓葬[J] . 南方文物, 2001 (3) .

[12] 王维臣,温秀荣 . 辽宁抚顺千金乡唐力村金代遗址发掘简报[J] . 北方文物, 2000 (4) .

[13] 冯先铭 . 建窑[M] . 中国大百科全书编辑委员会 . 中国大百科全书·考古学 . 北京: 中国大百科全书出版社, 1986 .